# 新版
# 知ってはいけない
# 現代史の正体

馬渕睦夫



SB新書
652

※本書は、2019年5月に小社より刊行された『知ってはいけない現代史の正体』を、加筆・修正・再編集したものです。

# まえがき

令和元年（2019年）5月に発刊された旧版のまえがきには、「21世紀の歴史を私たちの手に取り戻す」ために本書が書かれたとの記述があります。それから5年がたった今日、私たちは歴史を取り戻すことはできませんでした。しかし、世界の権力構造は根本的な変化を遂げました。その理由を新版では追求しました。

この5年間の主な出来事を4項目（①ウクライナ戦争②広島サミット③プーチン・金正恩会談④ハマスの対イスラエルテロ）追加しました。これらを第五章として、グローバリズムvsナショナリズムの世界最終戦争の視点から、2024年の私たちが直面している世界を概観したのです。

旧版で指摘した、トランプ大統領が政治生命をかけて戦ってきたディープステート（DS）が、いよいよ衰亡の時を迎えたことが新版のポイントです。DSとは「深く潜伏しているので外からは目に見えない国家」のことですが、彼らが今日まで影の支配者として、世界を牛耳ってきたことを改めて認識することが必要です。その上で、なぜ彼らが力を失うことになったのか、新たな4項目を読んでいただければおわかりいただけるのではないかと希望しています。

加筆項目で詳細を分析しますが、ウクライナ戦争はDSがウクライナを軍事基地化してロシアを挑発した結果起こった軍事衝突で、プーチン大統領は最初から特殊軍事作戦と呼んでいました。ウクライナと全面戦争をする意図はなかったということです。DSはこの戦争によってロシアを疲弊させ、プーチンを失脚させることを狙っていました。しかし、英米を先頭にNATO諸国がロシアに科した制裁の反動で国内問題を深刻化させる一方、逆にプーチンは戦争を長引かせることによってNATO諸国の分断に成功した結果、プーチンが勝利しつつあります。ここに、プーチン大統領はDSを徹底的に叩《たた》くことに戦術を変更した感じを受けます。

DSの陰りは、2023年9月のプーチン・金正恩会談から見て取ることができます。この会談は北朝鮮がロシアと同盟関係に入った大事件なのです。しかし、世界はまだこの事実に気づいていません。DSのトラブルメーカーとして育成されてきた北朝鮮が、DSの庇護を脱して彼らの敵・ロシアと同盟を結んだわけですから、DSの力の衰えが目に見える形で進んだと言えるのです。これに対しDSは北朝鮮を諦め、韓国を重視するように方向転換しました。韓米同盟に日本を繰り入れたのです。昨年8月のキャンプデービッドにおける米日韓首脳会談は、この新たな軍事同盟の形成を示しています。私たちが心配すべきことは、2024年以降予想される朝鮮半島有事の際に、我が国も巻き込まれる恐れがあることです。言うまでもなく、この場合の朝鮮戦争は韓国が北朝鮮に攻め込むことです。1950年の朝鮮戦争は、DSの意向を受けて北朝鮮が韓国を軍事攻撃しました。今回半島有事が起こるとすれば、前回と反対に韓国が北朝鮮に攻め込むことが想定されるわけです。

ウクライナで追い詰められたDSは、昨年10月戦端をイスラエルに転換させました。これがハマスの奇襲と呼ばれるイスラエル侵攻ですが、その後の展開はDSの狙い通りには進んでいません。予想に反して、イスラエルのガザ侵攻に対する世界の反対が強かったのです。これにはDSの支配下にあるバイデン政権も苦慮している様子で、ネタニヤフ首相の意向に反する二国家（イスラエルとパレスチナ国家）共存の方向に舵を切ったように窺《うかが》えるのです。

さて、世界は以上に見たように激変していますが、残念ながら日本の役割は黙ってお金を出す以外になさそうなのです。その典型例がG7広島サミットでした。岸田総理は議長国として張り切っておられましたが、他のサミットメンバーも、ゲスト参加のグローバルサウス諸国首脳も、また飛び入り参加したゼレンスキー大統領も、誰も岸田総理の指導力に期待していませんでした。広島は彼らが集まった場所に過ぎなかったのです。岸田総理を待ち受けるこれからの世界は、ますます日本のお金に関心を示すでしょうが、口を出しても相手にはされない可能性があるのです。

今日の私たちの危険はまさにこの点にあります。激動の2024年以降を生き延びるためには、私たち自身が目覚めることが必須です。利権まみれの政治家に期待することはできません。DSの凋落《ちょうらく》は世界秩序の一時的混乱を伴いますが、その後の世界に希望を見いだすことができるのです。

本書は過去100年の主な出来事に焦点を当てていますが、この100年の前にはウィーン会議以降の100年の準備期間があったのです。この100年間にDSは基礎固めをして、ウィルソン大統領の就任に成功しました。本書ではウィルソン以降の出来事を取り上げましたが、その背景にはウィーン会議以降の100年が含まれています。

本書を読んでいただければおわかりいただけると思いますが、DS凋落後の世界秩序を担う役割を果たせるのは、我が日本なのです。日本の伝統的価値観がいよいよ世界に貢献する時代を迎えつつあります。であるならば、本書を契機に、私たちの伝統的価値観をぜひ思い出していただきたいと念じております。今私たちは歴史を取り戻す入り口にたどり着いたと言えます。皆様とともに、この世紀の大事業を実現させましょう。

令和6年2月吉日

馬渕睦夫

目次

# 序章　「偽りの歴史観」とは

## 「歴史修正主義」という言葉の誤解

「歴史修正主義」という言葉に悪いイメージを抱く人は少なくありません。これはおそらく、2014年3月2日にアメリカの大手新聞ニューヨーク・タイムズが掲載した「Mr. Abe's Dangerous Revisionism」(安倍氏の危険な歴史修正主義)というタイトルの社説に端を発した一連の騒動が大きく影響しています。

安倍晋三首相は同年2月28日の衆院予算委員会で、中国とは明言しなかったものの海外で展開されている反日プロパガンダについて触れ、批判しました。安倍首相の、南京事件や慰安婦問題における見解についてニューヨーク・タイムズが、それは危険なリビジョニズム(歴史修正主義)だ、と文句をつけ、続いてフィナンシャル・タイムズ、ワシントン・ポスト、ウォール・ストリート・ジャーナルなどの有力紙が一斉に、日本は極右化への一途にある、と叩き始めました。菅義偉《すがよしひで》官房長官はすぐに、「社説には著しい事実誤認が含まれている」とニューヨーク・タイムズに抗議しました。

リビジョニズム(歴史修正主義)あるいはリビジョニスト(歴史修正主義者)という言葉は、欧米では確かに良い意味では使われません。第二次世界大戦後、ナチスドイツのホロコーストは存在しなかったと主張する研究に対して、主にリベラル勢力が極めて批判的に、リビジョニズム、歴史修正主義と呼んでレッテルを貼ってきた背景があるからです。ニューヨーク・タイムズの社説「安倍氏の危険な歴史修正主義」は明らかに、これを利用した洗脳報道でした。

「歴史修正主義」とは、もともと、史料や事実が新しく発見された場合には、それに基づいて歴史は書き直されるべきだとする立場のことを言います。ホロコーストの有無説がそうだというわけではありませんが、歴史を捏造することを「歴史修正主義」と呼ぶのではありません。

「歴史修正主義」という言葉は、さまざまなメディアや政治団体、市民団体、知識人に、時に悪意を込めて、あるいは洗脳のために使われがちです。ここをしっかり切り分け、「歴史修正主義」という考え方を客観的に認識しなければ、私たちはいつまでも「偽りの歴史観」（フェイクヒストリー）にとらわれたまま、ということになります。

## よく吟味すべき「歴史修正主義」

広告や書評などを見ていると気がつくように、最近、歴史を見直そうという趣旨の書籍の出版が盛んです。特に、第二次世界大戦はなぜ起こったのか、ということについていろいろな説が出され、議論が交わされています。こういったことがひとまとめに「歴史修正主義」と呼ばれています。

見直されようとしているのは、伝統的な、「正統派」と言われている歴史観です。つまり、日本の小・中・高の学校で習う歴史です。

私たちは学校で、日本は悪い国だった、と習います。1931年の満洲事変が日本のアジア侵略の始まりであり、1937年の支那事変で日本は本格的に侵略を開始し、こういった日本の侵略を止めるために展開されたのが1941年に始まった日米戦争である、というふうに習います。こういった認識が、正統派の歴史観だとされてきました。

この歴史観の見直しはもちろん戦後すぐから、日本国内海外を問わず、あるにはありましたが少数派でした。最近は、多くの学者や研究者・知識人が、この歴史観は誤りである、と主張するケースが増えてきています。世界の構造が変わりつつあるということでもあるでしょう。

さまざまな視点からの議論が起こるのはいいのですが、この「歴史修正主義」も、よく吟味して対応しないと、本当の歴史というものがかえって見えなくなってしまう危険性があります。その例として、ここに「歴史修正主義」の代表的なパターンを3つ掲げて考えてみることにしましょう。

正統派の歴史によれば、第二次世界大戦は「世界恐慌から自国の利益優先となった国際情勢によって国際協力の機運が急速に衰える中、この状況に乗じて、イタリア・日本・ドイツはファシズム的強権体制のもとで侵略による状況打開を目指し、やがて第二次世界大戦を引き起こした」と説明されています。これについて、次のような歴史修正の議論があります。

1　第二次世界大戦は、コミンテルンの謀略によって起こった。
2　第二次世界大戦は、ルーズベルトとチャーチルが愚かだったから起こった。
3　第二次世界大戦は、アメリカがイギリスから世界覇権を奪うために起こした。

どれも、現在、非常に注目されているテーマです。歴史学者や評論家がこれらのパターンを立証するために書いた本もたくさん出ています。

さて、これらは本当でしょうか。ひとつずつ、簡単に見ていきましょう。結論から先に言えば、どれも間違っています。

## 「第二次世界大戦コミンテルン謀略説」は落第

コミンテルン謀略説は、最近、とみに広く言われるようになりました。日米戦争も含めて、第二次世界大戦はコミンテルンの陰謀によって起こったとする歴史観です。すべての元凶は、コミンテルンを動かして陰謀を遂行したソヴィエト連邦(ソ連)第二代最高指導者ヨシフ・スターリンにあるという説です。

コミンテルンは、共産主義インターナショナル(Communist International)の略称です。1919年から43年まで存在しました。ソ連の創始者ウラジーミル・レーニンが建国とともにつくった、世界各国で共産主義革命を実現することを目的とする国際組織です。

つまり、世界の共産主義化を目的に、レーニンを後継したスターリンが世界中でコミンテルンを暗躍させて第二次世界大戦を起こした、というのがコミンテルン謀略説です。しかし、この歴史観は50パーセントしか正しくありません。

50パーセントというのもむしろ甘すぎるでしょう。0点と言ってもいいくらいですが、ぎりぎり10点くらいはつけられるかもしれません。

なぜなら、コミンテルン謀略説に終始してしまうと、本当に謀略をめぐらした存在、つまりスターリンおよびコミンテルンの背後にいた存在を隠すことになるからです。その点においてこの説は、本当の歴史を見極める上での障害にしかなりません。

コミンテルン謀略説を唱える学者、研究者、評論家は確かに大変真面目に論を立てています。その意欲は大いに買います。しかし、ここで留まっていては駄目です。ここで留まれば、筋が異なるだけの「偽りの歴史観」（フェイクヒストリー）になるだけであり、あいかわらず歪《ゆが》んだ歴史であるままです。すべてはスターリンが悪かった、コミンテルンが悪かった、で終わってしまうと、第二次世界大戦は誰がどういう意図で引き起こしたのか、その真実がわからなくなります。

スターリンやコミンテルンは、「本当の黒幕」を隠すための煙幕です。もちろん、コミンテルン謀略説を唱える人が煙幕をはるのに一役買っているとは思いません。それをやったら工作員です。

コミンテルン謀略説で留まることには害があります。スターリンあるいはコミンテルンの背後にいる「本当の黒幕」が、ロシア革命以降の世界を動かしてきたのです。ここにスポットライトを当てないと、正しく歴史を修正したことにはなりません。

## 常識としてあり得ない「ルーズベルトとチャーチルは大馬鹿説」

アメリカ第32代大統領のフランクリン・ルーズベルトと、イギリス首相のウィンストン・チャーチルは、第二次世界大戦の表舞台で語られる、国際的な指導者の2人です。1945年2月にソ連のクリミア半島ヤルタ近郊のリヴァディア宮殿で、大戦後の世界秩序についての協議が米英ソ間でなされました。ルーズベルト、チャーチル、スターリンの三首脳による、いわゆるヤルタ会談です。

この、ルーズベルトとチャーチルが大馬鹿だったので第二次世界大戦が起きた、という説は少々いかがなものかと思います。英米のトップは本当に馬鹿なことをやり続けた、しかしトップがやったことだから歴史家はその馬鹿さかげんを隠さざるを得ないまま2人を奉《まつ》っている、という歴史観です。

第二次世界大戦の開始原因をルーズベルトとチャーチルに求める論調は確かにあります。第31代アメリカ大統領ハーバート・フーヴァーの回顧録『裏切られた自由』(上下巻ジョージ・H・ナッシュ編　渡辺惣樹訳　草思社)の付録史料で、フーヴァーがルーズベルトを「日本を戦争に巻き込む陰謀を謀った〝狂気〟の男」と評していたことが明らかになっています。チャーチルについては、アメリカの評論家パトリック・ブキャナンが『不必要だった二つの大戦』（河内隆弥訳　国書刊行会）の中で、次のような紹介をしています。

「チャーチルは、ロシア革命の危険性にいち早く気づき、レーニンとスターリンに対する戦争を最も激しく主張した。ナチスの台頭の危険性に一貫して警鐘を鳴らし続け、ヒトラーの和平提案を無視して、あくまでも戦争を望み、ルーズベルトを戦線に引き込んだ。情勢の変化に伴い、何よりも憎み嫌ったはずのスターリンに愛想を使い、〝過去の私を許してくれますか〟とまでスターリンに言った」

これらのことは一面、事実でしょう。しかし、もしも「ルーズベルトとチャーチルは大馬鹿説」が正しいとすれば、常識的に、どうしてそんな馬鹿な指導者をそのままにしておいたのかという疑問が生じます。特にルーズベルトは4選された大統領です。1933年から45年までの12年間、大統領の任にありました。周囲の人々もアメリカ国民も、馬鹿な大統領をどうして12年間も放っておいたというのでしょうか。

ルーズベルトだけでなく、チャーチルもまた大馬鹿であるという説は、そういった意味からも、残念ながらまったく正当性のない歴史観です。第二次世界大戦が起きたのはアメリカとイギリスの指導者がたまたま馬鹿だったからという、本来は起こり得ないことが歴史としてまかり通ってしまう危険がこの歴史修正説にはあります。

ルーズベルトとチャーチルが任期中に実施した政策を調べてみると、2人とも大いに愚策を展開していることは確かです。しかし、問題は、彼らがとった政策の背後に誰がいたのか、ということです。

この構造は、前述したコミンテルン謀略説と同じです。大馬鹿説は、背後にいる本当の黒幕勢力を隠すことを目的とした、世界を動かしてきた存在に煙幕をはるための歴史修正説であると言わざるを得ません。

## 100パーセント間違っている「アメリカがイギリスの覇権奪取説」

第二次世界大戦はアメリカがイギリスから世界覇権を奪うための戦争だった、という説は、これを主張している方には申し訳ありませんが、まったく間違っています。こうした誤謬《ごびゅう》は、国際社会が必ずしも国家単位で動いているものではない、という認識が欠けていることから起こります。

伝統的な歴史学者はなぜか、国家単位でしか物事を考えることができないようです。国家単位でしか考えられないから、アメリカがイギリスから覇権を奪うためにやった戦争が第二次世界大戦であるといった頓珍漢《とんちんかん》な結論になります。国家単位でばかり考えていると、今世界で起こっていることもまったくわからなくなります。

アメリカがイギリスの覇権を奪うために戦争を仕掛けたのが第二次世界大戦であるという説が完全に間違っているということを、3つの例をもって証明しましょう。

まず1つめは、FRBの存在です。FRBは「Federal Reserve Board」（連邦準備制度理事会）の略称です。Board（理事会）という用語が使われていますが、アメリカの「中央銀行」です。日本で言えば、日銀にあたります。

FRBは1913年、第28代大統領ウッドロー・ウィルソン政権下で創設されました。中央銀行ということの意味は、ドルを発行する権限を持っているアメリカで唯一の銀行である、ということです。そしてFRBは、株式の100パーセントを民間が持つ民間銀行です。

では、FRBの株主は誰か、ということになりますが、これは公表されていません。いろいろと調べてみてわかったことがあります。何のことはない、シティ（The City）、つまりイギリスの金融業界がFRBの株主でした。

1913年のFRBの創設は、イギリスのシティの国際銀行家、金融資本家がアメリカの金融を握ることを目的としていました。つまり1913年以来、アメリカの経済の実権を握っているのはイギリスです。第二次世界大戦が終わった後もこの状態は変わっていません。これは、大戦によってアメリカがイギリスから覇権を奪った、という説が間違っていることを如実に証明しています。

2つめは、1950年に始まった朝鮮戦争です。アメリカは国連軍として参戦しますが、この戦争中、重要な戦略決定についてアメリカは常にイギリスの承認をとらなければならなかったということが公的記録に残っています。鴨緑江《おうりょっこう》大橋爆撃のような重要作戦の遂行に、時のハリー・S・トルーマン大統領は、いちいちイギリスにお伺いをたてていました。アメリカがイギリスから覇権を奪ったというのであれば、こんなことは起こり得ません。覇権はイギリスから移動などしていないのです。

3つめは、第37代大統領リチャード・ニクソンの辞任劇です。ニクソンは1982年に出版された自著『Leaders』(邦題『指導者とは』)の中で次のように述べています。

《米国にも有能な外交官は多いが、英国が影響力を持つ国々を旅した私の経験から言うと、彼らの外交官の方がはるかに洞察力も力量も上である。今日でも、アメリカの為政者は、重要な決断の前には、ヨーロッパの首脳の意見を聞くべきだと思う。単なる相談や事後通告ではいけない。力ある者が、必ずしも最大の経験と最高の頭脳と眼識と直観を備えているとはかぎらないのである》(『指導者とは』徳岡孝夫訳　文藝春秋)

なぜニクソンは、イギリスの外交官をほめる話とヨーロッパの首脳についての話を並べて書いているのか、その意味を見抜くことが世界を見る目を養います。ほとんどの人は後半の文章に目を向けて、世界一の大国となったアメリカの大統領もヨーロッパの首脳と仲良くしなければならないと言っているのだな、と考えがちです。それは違います。「ヨーロッパ」と言っていますが、これはイギリスのことを暗示しています。その理由は、前半でイギリスの外交官はアメリカの外交官よりはるかに洞察力も力量も上である、と指摘しているからです。

1972年に始まるウォーターゲート事件で自分を引きずり下ろしたのはイギリスであり、さらに言えばイギリスのシティである、とはニクソンは決して言えません。だからイギリスの外交官のエピソードをわざわざ前に持ってきて、わかる人にはわかる仕掛けにしています。

ニクソンはシティの気に入らないことをやったのです。いろいろな説がありますが、アメリカでビジネスを行っているシティの税務調査に着手しようとしたからだ、という説が最も信憑性《しんぴょうせい》が高いでしょう。

ジョン・F・ケネディの事件を代表として、歴代のアメリカ大統領の暗殺、暗殺未遂、辞任劇のほとんどにイギリスが関係しています。もちろん、表向きの犯人がイギリス人というわけではありません。背後には必ずシティつまりイギリスの金融資本家勢力の存在がある、ということです。

こういったことは、伝統的な正統派歴史観の中にはまったく出てきません。しかし、現在、多くの人々の手によってその実際が暴露されてきています。これらの情報を多くの人が共有することで、黒幕である彼らの計画は今後ずいぶん縛られていくだろう、ということが重要です。

「彼らは悪魔である」との例えは必ずしも適切ではありませんが、一般的に悪魔は悪魔であるということを見破られることで力を失います。悪魔とは知らずに悪魔の誘惑に負けている、というのが今の世界の実情です。

## 世界を動かしてきた「ディープステート」

「第二次世界大戦コミンテルン謀略説」「ルーズベルトとチャーチルは大馬鹿説」「アメリカがイギリスの覇権奪取説」という歴史修正主義の代表的な3パターンがいかに間違っているかということを前項までに述べてきました。そして、なぜ間違っているのか、そのポイントはすべて、本当に謀略をめぐらせた存在、本当の黒幕を隠してしまうことになる、というところにありました。

本当に謀略をめぐらせた存在、本当の黒幕とは、最近注目され始めた、また、私がかねがね著書や講演で述べてきている「ディープステート」のことです。国家内国家あるいは深層国家などと訳されますが、「ディープステート」とはアメリカの真の支配者を指します。

2018年9月、アメリカ中間選挙のキャンペーン中、トランプ大統領はモンタナ州ビリングスの共和党候補補応援スピーチの中でこんなことを言いました。「Unelected, deep state operatives who defy the voters to push their own secret agendas are truly a threat to democracy itself.」(選挙で選ばれてもいないディープステートの活動家たちが自らの秘密の課題を推進するために有権者に逆らうことは、民主主義そのものにとってまったく脅威である)。

今のアメリカだけではなく事実上、世界を動かしている本当の勢力が「ディープステート」です。しかし、ただただ「ディープステート」などと言っていると、世の中には、お話にならない陰謀論だと言ってアレルギーを起こしたり、胡散臭《うさんくさ》い考え方だといった印象を持ったりする人が少なくありません。そこでまず、「ディープステート」がいかに生まれたか、その原点について説明したいと思います。

本当の黒幕勢力として「ディープステート」が存在するのだということを理解しなければ、国際情勢を正しく把握することはできません。そこを抜きにして、たとえば米朝関係はこれからどうなるのか、米中の貿易戦争はどうなるのか、あるいはプーチン大統領の運命はどうなるのかなど、そういったことをいくら議論しても隔靴掻痒《かっかそうよう》になってしまいます。

「ディープステート」つまり世界の真の支配者の原点は、ある勢力がある時期、アメリカの重要な部分を牛耳ったことにあります。アメリカの重要な部分とはつまり、「金融」と「司法」と「メディア」です。

ある勢力がまず「金融」を牛耳って「ディープステート」の基盤を固めたその発端は、20世紀初頭、100年ほど前に遡《さかのぼ》ります。

## FRBの創設が「ディープステート」の基盤

1912年にアメリカ大統領選がありました。勝利したのは民主党のウッドロー・ウィルソンです。実はこのウィルソン大統領の誕生こそが、今日の「ディープステート」を生んだそもそもの元凶です。

ウィルソンの大統領選勝利に際しては、不思議なことが起こりました。対抗馬は、一期を務め終えた現職の第27代大統領ウィリアム・タフトです。普通、米大統領が一期だけで終えることはないのですが、結果的にタフトは敗れました。何か裏があると考えるのが常識です。

候補の選択から結果まで選挙に大きな影響力を持つ、いわゆる「キングメーカー」とタフトとの間に、当時のロシアとの関係をめぐっての意見の不一致があったと考えられています。しかし、世論の状況からしても、現職タフトの勝利はほぼ確定的でした。

そこに考えられない事態が起こります。タフト大統領の母体である共和党が分裂して進歩党という第三政党ができ、その進歩党の党首に担がれたセオドア・ルーズベルトが大統領選に参入したのです。セオドア・ルーズベルトはタフトの前任の大統領でした。

セオドア・ルーズベルトが後継として指名したのがタフトでした。たとえタフト大統領の政策に不満があったとしても、前任の大統領が第三政党までつくって反旗を翻すというのは異常事態です。

つまり、どうしてもウィルソンを大統領にしなければいけないという大きな意図が背後で働いていたということです。合理的に考えればそうなります。共和党支持者の票は割れ、僅差でウィルソンが大統領選に勝利しました。

大きな意図とは、当時力を得てきていたウォール街の金融資本家たちの意図です。彼らが「キングメーカー」としてウィルソンにつきました。それは、ウィルソンが大統領に就任した1913年の年の暮れに早速、前述したFRBつまり中央銀行が創設されたことから明らかです。

FRBの関連法案はあれよあれよという間に成立していきました。ウィルソンには、ウォール街の金融資本家たちに大統領にしてもらったという引け目があります。ウィルソン大統領は、関連法案の意味も十分に理解せずにサインしていったようです。

ロスチャイルド系銀行、ロックフェラー系銀行をはじめとする英米の金融資本家たちがＦＲＢの株主となりました。これがアメリカの金融が「ディープステート」の手に落ちた経緯であり、「ディープステート」の原点のひとつとなった重要な事件です。

## ウィルソンの不倫が原因で牛耳られた「司法」

ウィルソン大統領は１９０２年から10年までプリンストン大学の総長を務めていたことがあります。その時代にウィルソンはある婦人と不倫関係にありました。不倫相手だった婦人の代理人弁護士がある日、大統領となったウィルソンを訪ねてきます。

婦人の息子が25万ドルの負債をつくった、それを処理するのであなたが婦人に宛てて出した手紙を買いとってほしい、と言うのです。ウィルソンにそんな大金はありません。もちろんそれを見越した上での政治的な取引が弁護士の目的です。

弁護士の名はサミュエル・ウンターマイヤーといいました。当時のウォール街の最も有力な法律事務所のひとつ、グッゲンハイム・ウンターマイヤー・マーシャルを共同経営する腕利き弁護士です。ウンターマイヤーは、次回、合衆国最高裁判所陪席判事に空席ができた時にはウンターマイヤーが推薦する人物を判事に指名するということを条件にして、手紙の件をとり下げます。

１９１６年に空席ができます。ウンターマイヤーはルイス・ブランダイスという弁護士を推薦し、ブランダイスは議会の承認を得て就任しました。

ブランダイスは、ヤコブ・シフ商会の顧問弁護士を務めていた人物です。ヤコブ・シフは、日露戦争の戦費調達に奔走する高橋是清に助力した銀行投資家として、日本でもよく知られています。

重要なのは、ブランダイスが、アメリカ史上最初のユダヤ系最高裁判事だったということです。そしてこのブランダイスはアメリカを、１９１４年から始まっていた第一次世界大戦参戦に導きます。

形勢不利だったイギリスはアメリカの参戦を望んでいました。イギリスは、ロスチャイルド系をはじめとする英米の金融勢力との取引に入ります。金融勢力は、パレスチナにユダヤ国家をつくるということにイギリスが同意すればアメリカを参戦させる、という戦略を立てていました。この戦略活動の先頭に立っていたのがブランダイスです。

１９１７年の4月にアメリカは大戦に参戦します。同年の11月、イギリスの外務大臣アーサー・バルフォアが、パレスチナ国家建設運動を展開していたユダヤ系貴族院議員の第

2代ロスチャイルド男爵ライオネル・ウォルター・ロスチャイルドに対して運動を支持・支援する旨の書簡を送って約束を果たします。

これが有名な「バルフォア宣言」です。学校で使う歴史教科書には、アメリカの参戦やバルフォア宣言、という事象は出てきますが、バルフォア宣言がなぜ出されたか、ということは説明されていません。

アメリカの最高裁にユダヤ系判事が送り込まれました。FRBの設立によって、アメリカの金融はすでにイギリスのシティとウォール街の金融資本家に握られています。この2つが「ディープステート」の原点ですが、重要なのは、この2つの出来事の関係者ならびにこの事象によって最も利益を得る者はユダヤ系の人々だった、ということです。

## 保守対リベラルという対立構造の誤謬

2018年10月、トランプ大統領が連邦最高裁判所判事に指名した保守系のブレット・カバノーという人物が上院の承認を得て就任した、という報道がメディアで大きく取り上げられました。注目の裏には、リベラル側が仕掛けたカバノーのスキャンダル追及の影響もありました。

アメリカの連邦最高裁判所判事は9人います。保守系5人、リベラル系4人という内訳は伝統的なものですが、前任者のアンソニー・ケネディ判事は保守側とはいえ、時に極めてリベラル寄りの司法判断をすることで知られていました。トランプ氏が指名したカバノー判事が後釜に就任することで、改めて5対4の保守対リベラルのすみ分けが明確化することになるという論調を各メディアはとりました。

しかしメディアは、ここまでのことしか伝えません。保守対リベラルとはいったい何のことを指しているのか、という点について伝えることは決してありません。

この時点で、実は連邦最高裁判所判事のリベラル側4人のうち3人がユダヤ系でした。もう1人はヒスパニック系です。つまり、リベラル側判事の4人はアメリカのマイノリティつまり少数派で占められていました。

アメリカにおけるユダヤ系人口は600万人前後であり、全人口の2パーセント程度に過ぎません。そんな少数派が連邦最高裁判所判事の9人のうちの3人、三分の一を占めていました。バランスを欠いていると考えるのが常識というものです。

つまり、保守対リベラルという考え方には錯覚があるのです。「保守」対「リベラル」とは事実上、「その他の人々」対「ユダヤ系の人々」です。

誤解を恐れずに言えば、リベラルの思想とは社会主義的なユダヤ思想です。ここがわからないと、少数派であるにもかかわらずリベラルがなぜこれだけ力を持っているのかという問題がわかりません。ちなみに、リベラルを自称している日本人は、自分がユダヤ思想を体現しているとは夢にも思ってはいないでしょう。

リベラル思想＝ユダヤ思想こそ、「ディープステート」の思想的なバックグラウンドです。マイノリティが「ディープステート」を構成しています。アメリカの「ディープステート」はマイノリティ、さらに言えばユダヤ系に牛耳られています。

そして、何より重要なことは、このことはもはや秘密でも何でもない、ということです。陰謀論だと批判する方々に言いたいのは、陰謀とは陰に隠れてコソコソやることだ、ということです。「ディープステート」がユダヤ社会であることは、重要人物によって公言され、すでに常識的な認識になっています。これはもっと広く知られる必要があるでしょう。

## アメリカのエスタブリッシュメントはユダヤ社会

アメリカ第39代大統領ジミー・カーター政権下で国家安全保障問題担当大統領補佐官を

務めたことで知られるズビグニュー・カジミエシュ・ブレジンスキーという国際政治学者がいます。2017年に亡くなりました。ポーランド系のユダヤ人です。

ブレジンスキーは、2004年に書いた自著『THE CHOICE』（邦題『孤独な帝国アメリカ』堀内一郎訳　朝日新聞社）の中でこう述べています。

《二十世紀を通じてほぼずっと、民族的な圧力団体はさまざまな手段でその力を発揮してきた。典型的なものとしては、アメリカ全体に散らばる票を利用する（たとえば、中央ヨーロッパ系は北東部から中西部の大部分に多く住んでいる）か、重要な州に集中する（ユダヤ系ならニューヨーク、キューバ系はフロリダ）、あるいは自らの政治的主張実現のためならば、進んで献金すること（アルメニア系、ギリシャ系、ユダヤ系）などである。（中略）

このように独特な文化的、政治的アイデンティティが役割を果たすようになったのは、かつては排他的だったWASPのエリート集団が崩壊し、またかつては同一化に努めていたアメリカで、多様性を受け入れていこうという動きが表面化した時期と一致する。WASPの支配が衰えたのに代わって、社会的立場と政治的影響力を増大させたのがユダヤ系のコミュニティである。その向上の歴史は驚くべきもので、ほとんど一世代の間に、必ずしもあからさまでないにしても広く偏見の対象にされていた彼らが、アメリカ社会で影響力の大きいさまざまな分野の要職を押さえるようになった。それは、学会、マスメディア、娯楽産業であり、政治資金集めに関しても同様である。ユダヤ人五、六百万はまた、平均的アメリカ人よりもはるかに高い学歴と高い収入を得ている。

より重要なのは、新しい多様化の時代にふさわしく、ユダヤ系の人々がユダヤ人としてのアイデンティティを目立たないようにすることがもはやなくなったことであり――プレッシャー自体は50年前同様、今でも多くの人が感じているが――また、彼らはイスラエル繁栄のために当然の肩入れを遠慮しなくなった》(『孤独な帝国アメリカ』)

国家あるいは社会を代表する支配階級や組織、既成勢力のことをエスタブリッシュメント（Establishment）と言います。アメリカのエスタブリッシュメントは1776年の独立宣言以来ずっとＷＡＳＰ（White Anglo-Saxon Protestant）である、と私たちは学校の歴史教育で学びます。アングロサクソンであり、プロテスタントのキリスト教徒である白人の人々がアメリカのエスタブリッシュメントだということです。

ところが20世紀初頭、ブレジンスキーが書いている通り、また、私が前項で「ディープステート」の原点について述べた通り、この構造が大きく変わりました。

アメリカはすでに、WASPが指導的地位にいる国ではありません。ユダヤ社会がアメリカのエリートであり、エスタブリッシュメントです。このことをブレジンスキーは、自らがユダヤ人である立場から堂々と公表したのです。

アメリカの金融は100年前からユダヤ系に握られています。最高裁のありさまについては前に触れました。メインストリームメディアのほとんどは事実上ユダヤ系の人々に握られています。FBI（Federal Bureau of Investigation）もユダヤ系の影響下にあります。ニューヨークの弁護士はユダヤ系が圧倒的多数派だというのも有名な話です。

誤解されると困るのは、私はこれを「悪い」と言っているわけではないということです。善悪の問題ではありません。動かせない事実として、ユダヤ社会たる「ディープステート」がアメリカの社会に定着しているということを私たちは知る必要がある、と言っているのです。

知る、ということは、情報操作や洗脳工作にやられない免疫力をつける、ということです。私はこれを精神武装と呼んでいます。

ところで、情報操作や洗脳工作を具体的に担ってきたのがメディアです。ディープステートがアメリカのメディアを握る歴史は興味深いのですが、本書ではメディアの本質をズバリ解説したエドワード・バーネイズの言葉を紹介します。私たちには馴染《なじ》みが薄いこの人物は、自著『プロパガンダ』（邦訳は成甲書房）において、「世の中の一般大衆が、どのような習慣を持ち、どのような意見を持つべきかといった事柄を、相手にそれと意識されずに知性的にコントロールすることは、民主主義を前提とする社会において非常に重要である。この仕組みを大衆に見えないかたちでコントロールすることができる人々こそが、現在のアメリカで『目に見えない統治機構』を形成し、アメリカの真の支配者として君臨している」と、メディアの隠された目的を喝破しています。

彼の言う「目に見えない統治機構」こそディープステートそのものです。アメリカの真の支配者は大統領ではないのです。この点を理解するだけでも、なぜメディアが在任中のみならず現在に至るもトランプ氏を誹謗中傷し続けているのか、トランプ氏自身もまた反トランプのメディア報道をフェイクニュースと反論し続けているのか、そのわけがおわかりいただけると思います。

## 歴史の見方、情報分析の基本

次章より、いよいよ「ディープステート」の原点である20世紀初頭からの現代史を見ていきますが、この章の最後に、私が基本としている歴史の見方、情報分析の方法について述べておきたいと思います。

基本は、次の3つです。

1　情報は公開情報のみで分析する
2　裏情報には危険があるので近づかない
3　結果から原因を類推する

### 【情報は公開情報のみで分析する】

ここで言う公開情報の中には、既存メディアの報道も入っています。もちろん、そのまま鵜呑みにするわけではありません。行間を読みます。既存メディアは洗脳を行っている危険性がある、というよりも、堂々と洗脳工作を行っているからです。

たとえば、2017年1月の産経新聞ですが、「正論」というコラムのタイトルに《「グローバル化」が諸悪の根源か　むしろ機械や技術が職を奪っている　要因の冷静な分析が必要だ》というものがありました。ある東京大学名誉教授の経済学者が書いたコラムです。

ここには、「グローバル化は諸悪の根源ではない」ということを常識化したいという意図があります。これが洗脳です。メディアの報道あるいはメディアが提供してくる情報とはそういうものだということをまずふまえておく必要があります。

## 【裏情報には危険があるので近づかない】

私は、裏情報と呼ばれる情報および情報屋と呼ばれる人が提供する情報は信用しません。ディスインフォメーション（Disinformation）と言いますが、恣意《しい》的で歪んだ情報である可能性が高いからです。

特に中国や北朝鮮の問題について、政権中枢に近い人の情報であるとか共産党幹部筋の情報であるなどと前置きされる話は眉唾ものです。常識的に考えて、中国や北朝鮮の政権中枢が、ただ単に情報をくれるはずがありません。もらった情報をそのまま流しているのか、その人自身が入手した情報を自らチェックして紹介しているかどうかは別問題です。

ここに敏感でないと、知らないうちに、裏にいる存在の情報操作に乗せられてしまう危険があります。

ベルリンの壁崩壊の10年ほど前の1979年から2年半、私は外交官としてソ連時代のモスクワに勤務していました。その時、ソ連の工作員から複数回、接触を受けたことがあります。住んでいたアパートに、うら若き、と思われる女性から流暢《りゅうちょう》な英語で電話がありました。私の前任者と知り合いだったので友好を深めたい、ついては今、近くのバーにいるのでお会いできないか、と言うのです。当時のソ連の一般人は外国人接触禁止ですから、当局の人間に決まっています。こんな下手なやり方で接触してきたことに私は呆《あき》れました。同時に、こんな幼稚なトラップに引っかかるような人間として見られたことに大いに憤慨したものです。1週間ほどしつこく電話がありましたが、相手にしないでいるうちに諦めたようで、それ以上の接触はありませんでした。しかし、こんなレベルの低い工作にも引っかかる人は引っかかります。

人間の能力から考えて、自分の力ひとつであらゆる情報を手に入れることはできません。言うまでもなく、情報のほとんどは他からもらっています。そのこと自体は悪いとは言えません。もらった情報を自分なりに練りこなすというプロセスを経た上での情報であるかどうかで、情報の意義は変わってきます。もらった情報のまま流しているというようなことがあれば、たとえいくら著名な知識人の話であっても、私たちは知らず知らずのうちに裏にいる存在に洗脳されているということになります。

## 【結果から原因を類推する】

物事には当然、原因があって結果があります。結果を見て原因を類推するということが歴史に学ぶということです。これは、訓練すれば誰でもできます。

しかし、学校ではそういう訓練はしませんし、歴史学者による、ひとつの視点からの一方的な意見による歴史しか教わりません。訓練とは、結果つまり今実際に起こっていることを見て、いったい誰が得をして誰が損をしたのかを想像することです。すると、この結果は誰が引き起こしたものなのか、まず間違いなく類推できるようになります。

正統派歴史学者と呼ばれる人々は本当に歴史をわかっていないのかと言うと、もちろん、そんなことはないと思いたいです。彼らは利害関係者であることが、自由な発想を妨げている場合が多いのでしょう。歴史学会など各種学会の利害関係者であり、大学をはじめとする教育関係の利害関係者であり、彼らが出演するメディアの利害関係者であるというところに問題があるのです。

飛び出せない枠というものがあります。多くの学者やジャーナリスト、評論家、知識人の方々と実際に交際していくうちに、私にはだんだんわかってきました。利害関係の壁を打ち破ることは大変難しいのです。

メディアは洗脳装置であるとか、知識人と呼ばれる人々がなぜ本当のことを言わないのかなど、いろいろ言われていますが、その背景には利害関係つまり利権の問題があります。

その最たるものが戦後民主主義体制という巨大な利権構造でしょう。ここにどっぷりと漬かっている人は、なかなか壁を打破することはできません。利権構造を打破した立場から考えない限り、間違った歴史修正主義を含む「偽りの歴史観」（フェイクヒストリー）を見破ることはできません。

以上のことを基本として、次章より、「ディープステート」の原点の時代から世界の現代史を読み解いていきたいと思います。

# 第一章

# 社会主義者に仕組まれた日米戦争

【1917年〜1941年】

## 学校教育で教わる歴史概説　１９１７年〜１９４１年

１９１４年に始まった第一次世界大戦は、ヨーロッパだけではなく、イスラム世界、アフリカ、アジアにもその戦火を広げた。史上初の総力戦、平時とは異なる戦時体制をもって国家を挙げて臨む戦争となり、参戦各国の政治および社会構造を大きく変え、そして１９１７年、ロシア革命が起こる。

ロシア革命は、ロマノフ王朝を崩壊させた二月革命と、レーニン、トロツキーらが主導して社会主義政権を打ち立てた十月革命からなる。史上初の社会主義国家を成立させた革命で、全世界に極めて大きな影響を及ぼした。

アメリカ合衆国が世界政治の舞台に本格的に登場するのもこの頃である。アメリカが第一次世界大戦に参戦するのはロシア革命と同年、大戦が終盤を迎えようとする１９１７年のことだ。大戦の混乱が明らかにしたヨーロッパの近代政治、文明、文化の破綻は、インドや中国を先頭に、非ヨーロッパ諸地域の自立化への歩みを加速させることともなる。

１９１８年11月11日、革命によって共和国となったドイツ政府が連合国と休戦協定を結び、第一次世界大戦は終結する。ヴェルサイユ条約をはじめとする一連の講和条約を経て１９２０年、アメリカのウィルソン大統領の提案に基づいて国際連盟が発足する。この国際連盟を中心とするヨーロッパの国際秩序をヴェルサイユ体制、1921年のワシントン会議でまとまった、アメリカの主導下で列強が協力体制をとることになる東アジア・太平洋の国際秩序をワシントン体制と呼ぶ。

この2つの体制が国際秩序を形成していく一方、多民族で構成されたオーストリアやオスマン帝国が解体して世界は国民国家が主流となる。民主主義の実現と経済回復へのさまざまな取り組みが各国で試みられる中、1929年10月、世界恐慌が起こる。世界一の債権国となったアメリカの経済破綻が資本主義各国に波及して起こった大恐慌だった。

世界恐慌をきっかけとして、各国は自国の利益のみを優先させるようになり、国際連盟をはじめとする国際協力の機運は急速に衰えていく。この状況に乗じて、ファシズム的な強権体制のもとで侵略による状況打開を目指したのが、イタリア、日本、ドイツであり、再び世界大戦を引き起こした。

1939年9月にドイツがポーランドに侵攻して第二次世界大戦が開始される。翌年9月にベルリンで日独伊三国同盟が結ばれ、1941年12月、太平洋戦争が始まった。第二次世界大戦はアメリカとソ連の主導によって、連合国側の勝利に終わることになる。

# 1917年　ロシア革命

**通　説**▼労働者・兵士が自治組織ソヴィエトを構成して革命を推進した。
**歴史の真相**▼亡命ユダヤ人が主導したユダヤ人を解放するための革命だった。

## 勃発当時から常識だったロシア革命＝ユダヤ革命

ロシア革命は、歴史教科書にあるような、時の皇帝ニコライ二世の圧政に苦しむロシア人が蜂起して帝政ロシアを転覆させた、という革命ではありません。国外に亡命していたユダヤ人がイギリス・ロンドンのシティやアメリカ・ニューヨークのユダヤ系国際金融勢力の支援を仰ぎ、ロシアの少数民族ユダヤ人を解放するために起こした革命です。

このことは当時のイギリスやヨーロッパ諸国ではほぼ常識的な認識でした。フランス出身のイギリスの歴史家ヒレア・ベロックは、1922年発刊の自著『The Jews』（邦題『ユダヤ人　なぜ、摩擦が生まれるのか』渡部昇一監修　中山理訳　祥伝社）の中ですでに、ロシア革命はユダヤ革命（ジュイッシュ・レボリューション）である、と指摘しています。この本を監修した、平成29年に亡くなられた渡部昇一氏は、著書の『名著で読む世界史』（扶桑社）の中でも、また、私との対談書『日本の敵　グローバリズムの正体』（飛鳥新社）の中でも、ロシア革命の真実について繰り返し触れていました。

欧米のユダヤ人金融資本家は、ロシア革命を推進したレーニンやトロッキーを資金的に支援しました。前章で触れた、日露戦争の資金調達に奔走する高橋是清に助力したヤコブ・シフもまた、ロシア革命に資金供給したユダヤ人の1人です。

金融資本家たちのロシア革命への投資は成功しました。レーニン率いるボルシェビキ（多数派という意味）が武装闘争によって権力を奪取します。ボルシェビキ革命政府の指導部の8割はユダヤ人で占められていました。レーニンの血の四分の一はユダヤ人です。革命は成し遂げられ、ロマノフ王朝は打倒されました。ロシア革命政府は、王朝が保有していた莫大な資産の多くを欧米の投資家に利益還元しました。

投資家の手に渡ったのは、ロマノフ王朝の財産だけではありませんでした。同じくユダヤ系のトロッキーはアメリカ在住のユダヤ人を引き連れ、アメリカ政府のパスポートを使ってロシアに入国して、先に入国していたレーニンと共に革命に従事します。トロッキーがまず行ったのは、共産主義の私有財産禁止の思想のもと、ロシアの民衆が保有していた金を没収することでした。ゴールドの金です。これらは、革命家たちが投資家への負債の返済にあてました。

そして、ロシア革命を分岐点としてその歴史を大きく変えた国こそがアメリカです。

## ロシア革命を礼賛したウィルソン米大統領

時の米大統領ウィルソンはロシア革命を礼賛しました。1917年の4月にアメリカはドイツに宣戦布告して第一次世界大戦に参戦しますが、その時ウィルソン大統領は次のような内容のスピーチを行っています。

「過去数週間にわたってロシアで起こっている素晴らしくまた元気づけられる事件によって、未来の世界平和に対するわれわれの願いが保証されることになった。ここに、信義を重んずる同盟にふさわしい相手がある」

自由資本主義の国であるアメリカが、当初のケレンスキー革命政権は資本主義を否定する体制であるにもかかわらず称賛し、また、以後レーニンの指導の下で成立した、国民の自由を抑圧する共産主義体制をなぜ支持したのでしょうか。政治評論家ユースタス・マリンズの著書『民間が所有する中央銀行―主権を奪われた国家アメリカの悲劇』（林伍平訳秀麗社）によればアメリカはレーニンの政権に対して1億ドルの資金援助まで行っています。

情報が十分ではなかったからアメリカはソ連の実態を誤解し続けたのだ、とはよく言われることですが、それはつじつま合わせの生やさしい分析です。問題は誰がアメリカに情報を入れていたのかということです。

## キングメーカーとウィルソンの橋渡し役

当時、ウィルソン大統領に上げる諸情報を整理していたのは、側近のエドワード・マンデル・ハウス大佐でした。ウィルソン大統領が「私の分身である」とまで言い、ホワイトハウスの一室に執務室を与えていたほどの人物です。

ハウス大佐は謎の多い人物です。イギリスからの移住者である父親はテキサス州で綿花栽培事業を営み、その後、ロンドンのロスチャイルド家の代理人として金融業に携わりました。ハウス大佐とユダヤ系金融の大物・ロスチャイルド家との関係は父親の代以来のものです。

大佐と呼ばれてはいますが軍歴は不明です。ホワイトハウスに入る前にはテキサス州知事の助言者、選挙事務長などとして活動していました。その時の政治的貢献から「大佐」の称号を得たものと考えられています。ハウス大佐は、自らが表舞台に立つのではなく、表の人物を影で操ること、キングメーカーとキングたる政治的権力者との橋渡しをすることに長《た》けていた人物でした。

つまり、ハウス大佐は、前章で触れたウィルソンのキングメーカーであるウォール街の金融資本家とウィルソンとの間の忠実な橋渡し役でした。ウィルソン大統領は、ハウス大佐を通じて伝えられる、キングメーカーの意向に従って具体的政策を遂行していったのです。

ハウス大佐にはもうひとつの重要な側面がありました。「社会主義者」だった、ということです。

## 社会主義者だったハウス大佐

ハウス大佐は1912年に『Philip Dru: Administrator』（邦題『統治者フィリップ・ドルー』）という政治小説を書きました。《A Story of Tomorrow, 1920-1935》と副題されたこの小説には、将来のアメリカ政府がとるべき政策として「累進所得税」「失業保険」「社会保障」「弾力的な通貨制度の導入」などが予言されていました。前掲のユースタス・マリンズによれば、この小説に書かれた政策はハウス大佐にとって「カール・マルクスによって描かれた社会主義の実現を目指したもの」でした。

そして『統治者フィリップ・ドルー』に書かれた内容がウィルソン政権や後のルーズベルト政権がとる社会主義的な政策の下敷きになりました。「弾力的な通貨制度の導入」策が結実したものが前述したFRBつまり「アメリカ中央銀行」です。ハウス大佐はまた、この小説の中で次のようなことも指摘しています。

「資本主義社会は非効率であり、機会不平等の結果、富める少数派と貧しい多数派の間に広範な格差が存在している」

「傑出した独裁者が出現して急進的な社会主義国家が建設される」

ハウス大佐は、アメリカの金融勢力を代表する国際金融資本家であるシフ家、ウォーバーグ家、カーン家、ロックフェラー家、モルガン家の信頼を受けていました。誤解している人が多いのですが、大資本家たる国際金融資本家はみな「社会主義者」です。

## 国際金融資本家がみな「社会主義者」である理由

「国際主義者」（グローバリスト）であることが、社会主義者の一番の特徴です。国際主義（グローバリズム）とは、自らの「普遍的価値」を国家の上に置くイデオロギーです。国家を軽視ないしは無視する傾向が強く、国家意識は皆無です。大資本家は、自らが営んでいる国境を超える金融ビジネスに対する国家の介入を極端に嫌います。国際金融の論理的必然としてそうなるのです。

大資本家のビジネスは国境に左右されないところで展開します。特に国際金融資本家のビジネス対象は「世界全体」です。当然、アメリカという国家・国民の利益をビジネスの判断要素とする意味はそこにはありません。むしろ、国益などという発想自体、忌避すべきものとなります。

国際金融資本家をはじめ、ユダヤ系の富豪たちがロシア革命を支援したのは、まず、ロシア革命がユダヤ革命だったからです。そして、さらには、その革命思想である共産主義が国際主義であり、社会主義だったからです。共産主義と社会主義という用語は学問的には意味が異なりますが、ともにその本質は国際主義であるという点で同じ意味で使うことができます。

ロシア革命を分岐点として、アメリカの政策は国際主義者たちに握られることとなりました。時の大統領ウィルソンは社会主義者のとり巻き連中に支配される傀儡《かいらい》政権でした。この点を、歴史家や政治家は重視すべきです。

この視点は、今日の国際情勢を理解する上でも重要です。ソ連の崩壊や中国の変貌から、一般的に「この世から社会主義は消滅した」と考えられがちです。そうではありません。現在も活躍中の、新保守主義と訳されるNeoconservatism、略してネオコンは社会主義勢力です。社会主義もリベラルもネオコンも、その根は同じ国際主義にあるのです。

## 1918年　シベリア出兵

**通　説**▼米英仏が撤退した後も日本はシベリア東部に勢力を及ぼそうと居残った。

**歴史の真相**▼日本は邦人虐殺事件の解決のために撤兵を遅らせざるを得なかった。

### 海外派兵に慎重だった日本

正統派の歴史では、ロシア革命後の内乱時期にシベリアにとり残されたチェコ軍救出を目的に日本は米英仏とともに出兵した、ということになっています。そもそもの発端は、そうではありません。ウラジオストックに保管されていた大量の軍需品がドイツの手に渡るのを防ぎたかったイギリスの思惑です。1902年に締結した日英同盟の下で同盟関係にあった日本に、連合国を代表してシベリアに派兵するようイギリスが要請したのです。

イギリスの提案にフランスが賛成し、アメリカに対しても同様の要請をしました。これに対してウィルソン大統領は、ロシア革命政府に対する一切の干渉に反対しました。特に日本が単独で出兵することに断固反対しました。アメリカはロシア革命政府を守ろうとしたのです。近代史研究家・中村粲《あきら》氏の『大東亜戦争への道』（展転社）によれば、日本は次のようにイギリスに回答しました。

「日本は常に連合国共同目的のために貢献を行う用意があるが、それは全部の連合国の全幅の支持に依存する。故に日本は米国と他の連合国間の了解が成立するまでいかなる行動をとることも差し控える」

国際貢献の意志を明確にして各国の協調を訴える、威厳に満ちた堂々たる外交文書です。日本は派兵に対して非常に慎重な態度をとる国でした。第一次世界大戦発生後、同盟国のイギリスの参戦要求に応えてドイツに宣戦布告しますが、行動範囲は中国国内のドイツ租借地域とドイツ領南洋諸島に限りました。日本の国是は日本領土の防衛であるとして、ヨーロッパへの派兵は拒絶し続けました。最終的には1917年の2月に巡洋艦などを地中海に派遣することになりますが、それは、ドイツの無制限潜水艦作戦によって自国客船が撃沈されるなどの事件が増えたからです。

「第一次世界大戦による、欧米列強の東アジアからの後退は、日本の新たな対外進出の機会となった」「日本はどさくさに紛れて参戦して勢力を拡大した」などと、学校の教科書、つまり正統派歴史学者は書いています。日本を貶《おとし》める記述をして恥じない態度には、人格に対して疑問を持たざるを得ませんが、それ以前の問題として、これは歴史の改ざんです。

## アメリカ出兵はロシア革命政府を守ること

前項のような連合国と日本、アメリカとのやりとりの後で、シベリアでチェコ軍が孤立し、救出のための出兵の必要が生じました。ウィルソン大統領はアメリカ軍の派遣を承認し、日米を含む連合軍の共同出兵が行われました。

そもそも、なぜチェコ軍救出問題が発生したのか、その背景を理解することが必要です。ロシア軍と戦っていた枢軸国オーストリア・ハンガリー帝国下のチェコ軍部隊は、オーストリアから独立を目指してロシア側に寝返って、連合国の一員としてドイツなど枢軸国と戦い始めました。そこへロシア革命が起こり、ロシア革命政権はドイツと和睦して戦線から離脱しました。そこで、ドイツとの戦闘に従事するため5万人のチェコ軍部隊がシベリア鉄道経由ウラジオストックを目指し移動を始めましたが、その途中でロシア革命軍との衝突が発生したため、チェコ軍救出の目的で連合国が共同出兵したのです。

ところが、現場では日米の考え方の違いが明らかになります。日本はロシア共産主義を危険思想と認識しており、共産主義政権の勢力拡大は阻止されなければならない、と考えていました。

一方アメリカは、ロシア共産主義政権は帝政を倒した民主主義政権である、とみなしていました。忘れてはならないのは、時のウィルソン大統領の側近には、ロシア革命に資金を援助した金融資本家がいたということです。アメリカ軍は、チェコ軍救済の名目のもと、ロシア革命軍を守るために出兵していたのです。

アメリカは1920年1月に突然、撤兵します。前掲の中村粲氏の著書には《極東露領が赤化することは、わが国にとっては満洲・朝鮮への重大脅威を意味したのであるが、太平洋を隔てた米国にとっては対岸の火事でしかなかった》とありますが、ウィルソン政権の正体というものを考えれば、対岸の火事どころか、自らが支援して作り上げたロシア革命政府を存続させなければならないという切実な状況にあったと言えるでしょう。

同じく中村粲氏の著書にある通り、「極東へのボルシェビズムの蔓延《まんえん》は文明への恐るべき脅威」とみなすロバート・ランシング国務長官のように、ロシア革命政府に懐疑的な勢力も閣僚レベルでアメリカ国内にはありました。しかし、ウィルソン大統領を操っていた勢力はロシア革命の支援者でした。ウィルソン大統領政権下のアメリカは、事実上、ソ連の友好国でした。

その後も、社会主義を世界に広めようとするルーズベルト政権との対立のために、満洲や支那大陸をめぐるアメリカとの摩擦を解決できなかったことにつながるのです。

## ニコラエフスク邦人虐殺事件の悲劇

北樺太の対岸に当時人口1万2000人のニコラエフスクという町があります。この町に、シベリア出兵時に、日本人居留民と軍人700人ほどがいました。チェコ軍救出問題が一段落して、ニコラエフスクから連合軍が撤兵した時のことです。ロシア人、朝鮮人、中国人からなる約4000人の共産パルチザンつまり非正規軍が入り込んで町を占領しました。

共産パルチザンは革命裁判と処刑を強行しました。日本の守備隊を襲撃して大半を殺害し、居留民を投獄するなど、日本軍の援軍が到着する前に日本人のことごとくを極めて残忍非道なやり方で虐殺しました。共産主義に懐疑的な現地の市民も虐殺し、ニコラエフスクの人口は半減しました。

善良な居留民に対する無差別殺戮《さつりく》という国際法違反ですから、この虐殺事件が解決するまでの間、日本は北樺太を保障占領して秩序の回復を待たざるを得ませんでした。日本のシベリア撤兵が当初の予定より大幅に遅れることになったのはこれが理由です。外国における居留民の保護は国家の義務です。予想される同様の日本人虐殺事件を防止するために撤兵を遅らせざるを得なかったのは当然のことです。

ニコラエフスク邦人虐殺事件は、後に中国大陸で起こる1928年の済南事件や1937年の通州事件などの日本人虐殺事件の嚆矢《こうし》になりました。当時の日本人に、共産主義に対する強烈な反感を呼び起こした事件でもありました。

# １９２０年　国際連盟成立

**通　説**▼ウィルソン米大統領は理想主義のもと国際連盟設立を主導した。

**歴史の真相**▼国家に干渉できる権力を持つ機関の出現が国際連盟だった。

## 集団的安全保障体制への移行

１９１９年1月から第一次世界大戦の戦後処理を話し合う講和会議がパリ郊外のヴェルサイユで開催されました。日本はこの時、イギリス、アメリカ、フランス、イタリアと並ぶ五大国の一国として参加しています。

この講和会議で発足が約束され、翌１９２０年に設立されたのが「国際連盟」です。世界史上初の国際機関とも言うべきものです。ウィルソン米大統領が１９１８年1月に発表した「十四か条の平和原則」の第十四条《国際平和機構の設立》が契機となり、講和会議の重要な議題のひとつになって発足しました。ただし、言い出しっぺであるアメリカは、上院の反対で条約を批准できず、国際連盟には参加しませんでした。

国際連盟の表の意義は「従来の二国間同盟に基づく安全保障体制が集団的安全保障システムに移行した」ことにあります。「従来の二国間同盟」とはいわゆるバランス・オブ・パワーと呼ばれる考え方で、長年にわたるヨーロッパの政治的知恵であり、「現実主義的」な態度です。

これに対して「集団的安全保障」は、全員で全員の安全を保障するという「理想主義的」な態度です。メンバー国が侵略された場合には国際連盟加盟国全員が守る、という安全保障理論に基づきます。現在の国際連合が採用している体制と同じです。

しかし、国際連盟の画期的な意義は、実はこれとは別のところにあります。「加盟各国が国家紛争解決の当事者としての主権の一部を国際連盟に移管する」という点です。つまり、国際連盟は国家に干渉できる権力を持った機関でした。この国際秩序もまた、歴史上初めて誕生したものです。

そして、国家の主権に干渉できる権力を持った機関をつくるという発想こそ、国家というものを持たないユダヤ人の思想の表れでした。ウィルソン大統領が国際連盟の発足を熱心に推進した理由はここにあります。

## 主権国家の上に置かれた国際機関

国際連盟はウィルソン大統領自身の思想、ウィルソン大統領が一人で考えたアイデアではありません。前項でも触れた側近のハウス大佐をはじめとするユダヤ勢力の構想です。ハウス大佐の他にウィルソンの周囲には、バーナード・バルーク、ポール・ウォーバーグといったウォール街のユダヤ人金融資本家がいました。

バーナード・バルークこそはウィルソンのキングメーカーであり、選挙運動に多額の献金を行った人物です。大戦中は戦時産業局の責任者を務め、ヴェルサイユでの講和会議ではウィルソン大統領の経済顧問として参加しています。フランクリン・ルーズベルトおよびその夫人・エレノアの友人でした。イギリスのチャーチル首相とも友人関係にあり、第二次世界大戦の準備にあたっては緊密に連絡を保っていたことでも知られています。一方、ポール・ウォーバーグはFRBの創設実務にあたった人物であり、自身が初代のFRB議長に就任しています。

誰も反対できないであろう「平和」の大義名分のもとに世界は洗脳されました。主権国家というものは、他の「国」というものに主権を侵害されることには強く抵抗しますが、

「国際機関」ということになると一般に抵抗感が薄くなるのです。これは、現在の日本人の国連に対する信奉精神の危険性にも通じます。

国際連盟はまた、「加盟国は平等である」という原則に基づいて、小国が大国の紛争に、対等の立場で、介入できる枠組みを提供しました。紛争解決に対処する能力がないにもかかわらず口先だけでの介入を許し、国際問題を複雑化したのです。

国際連盟の本質は、思想的に国境を撤廃する試みでした。世界平和という錦の御旗に反対する人はどこにもいません。そのような大義名分を掲げることで国家意識や民族意識を捨てさせ、精神的な国際主義者を量産するという魂胆が国際連盟には隠されていました。主権国家の上に国際機関を置き、国際主義によって平和をコントロールする、要するに国際連盟は「世界法廷」の一種と言えるものでした。

## ■国際紛争解決の障害となった民族自決

国際連盟の発足を含むウィルソンの「十四か条の平和原則」の第五条「公正な植民地問題の措置」には、枢軸国領土内における民族自決が提言されています。謳われた民族自決は戦勝国である欧米連合国の植民地には適用されませんでしたし、ソ連の構成国へと強制的に編入された中央アジアのイスラム教諸国にも適用されませんでした。

民族自決によって誕生した諸国は国際連盟の加盟国となりましたが、これらの国の中から、自国とは関係のない問題に口を挟む国が現れるようになりました。国際連盟が中小国に対して大国と同等の発言権を与えたことは、国際紛争を解決する上での障害となっていったのです。

特に満洲や支那事変の問題に関して、日本および支那に利害関係のない小国が口先介入することとは深刻な事態を生みました。紛争当事国の弱者側に正当な理由もなく味方することとは紛争を長引かせるだけの結果しか生みません。現に、支那は味方が増えたことに気をよくして妥協を遅らせました。国際連盟が連盟精神の名のもとで中小国の意見に引きずられ、支那の支持に回ったことが日支間での解決を不可能にしてしまいました。

民族自決とは普遍的な価値観を実現したものではなく、特定の政治目的のために誕生した思想です。民族自決をソ連に言わせると民族解放という言葉になりますが、こちらはソ連とコミンテルンが世界同時革命を唱えた「暴力革命思想」です。

ウィルソン大統領の民族自決原則とコミンテルンの民族解放戦争が同時期に出現したのは偶然ではなく、連動しています。国際連盟もまた民族自決原則によって国家の体《てい》をなさない小国までも合法的に独立させ、世界情勢を不安定化してしまいました。

## 1921～22年　ワシントン会議

**通　説**▼英米の支持で中国の主権尊重と領土保全が約束された。
**歴史の真相**▼ワシントン会議こそが大東亜戦争開始の火種となった。

### アメリカの孤立を防ぐための軍縮協定

そもそもウィルソン大統領の名で提言された国際連盟でしたが、上院の反対でアメリカは参加できませんでした。これが1921年のワシントン会議をアメリカが招集することになった最大の理由です。時の大統領は共和党のウォレン・ハーディングでした。

ハーディング大統領の目的は、「満洲、中国における日本の行動を封じ込めること」でした。第一次世界大戦を経て日本の国際的地位は、ヴェルサイユ講和会議に五大国の一国として参加するほどに向上していました。国際連盟には常任理事国として迎えられています。

日本とイギリスとは同盟関係にありました。アメリカは国際的孤立を懸念して大規模な海軍拡張を画策します。日英両国もまたそれに対抗して軍備拡張を始めます。そこでアメリカは軍縮協定を結ぶためにもワシントン会議の開催を必要としました。

ワシントン会議は別名「ワシントン海軍軍縮会議」と呼ばれます。軍縮が重要な議題となり、結果、主力艦の比率がアメリカ：5、イギリス：5、日本：3、フランス：1・75、イタリア：1・75に制限されました。ここでひとつ重要なのは、アメリカの統治下にあったハワイ、イギリスの統治下にあったシンガポールは制限から除外されていたということです。このことは後、大東亜戦争に大きな意味を持ちました。

広範にわたる植民地を守る海軍力がアメリカと同等に抑えられてしまったのは大英帝国にとって大きな痛手でした。一方、日本に比較6割の軍縮を飲ませたのはアメリカの勝利と言えましたが、日本の勢力範囲は西太平洋に限られていましたから、実際上は、決して屈辱的な結果ではありませんでした。

ワシントン会議において日本の死活問題となったのは、実は軍縮ではなく、「日英同盟の終了」と「九カ国条約の締結」です。

## ■アメリカが切望した日英同盟の終了

ワシントン会議では日英米仏の間で「四カ国条約」が結ばれました。列強が利権をせめぎ合う太平洋方面の国際秩序を共有するための条約です。「紛争の平和的解決」と「太平洋における加盟国の既存の権利を尊重すること」を謳っているだけで、これらを担保する具体策に言及していない点で、この条約は何の意味も拘束力もない紙切れに過ぎません。問題は第四条に記された「日英同盟の終了」です。これこそがアメリカの目的でした。

アメリカは満洲進出を狙って、日露戦争後にロシアから日本に割譲された南満洲鉄道の中立化を提案していました。日露はもちろん、イギリスもこの提案を支持しなかったのは日英同盟があったからです。日英同盟は日本にとって、五大国のうちの一国としての国際的地位を担保するものでもありました。日英はともに同盟の存続を希望していましたが、結局、アメリカの圧力から、「四カ国条約」によって同盟に終止符を打つことになります。

## 九カ国条約こそ大東亜戦争の直接の原因

アメリカにとってワシントン会議における最大の成果は「九カ国条約」にありました。アメリカにとっての最大の成果、ということは、日本にとっての最大の敗北、ということになります。

日米英仏伊の五大国に、中国、ベルギー、オランダ、ポルトガルが加わって九カ国です。九カ国条約は「中国に関する」九カ国条約であり、中国の「主権」「独立」「領土保全の尊重」「門戸開放」「機会均等主義」の遵守が謳われていました。とりわけ注意しておきたいのは次の2つの条項です。

「友好国国民の権利を損なう特権を求めるため支那の情勢を利用したり、友好国の安寧を害する行動をしないこと」（第一条第四項）

「支那における門戸開放または機会均等主義を有効ならしむため、支那以外の締約国は支那における経済的優越権を設定せず、他国の権利を奪うが如き独占権を認めない」（第三条）

これが、たとえ我が国が既存の権益を守るために行った防衛的行為であっても、九カ国条約違反として国際的に非難される口実を与えることになりました。たとえば、時のハーバート・フーヴァー米大統領政権下の国務長官ヘンリー・スティムソンは、フーヴァー大統領は一定の理解を日本に示していたにもかかわらず、後に「スティムソン・ドクトリン」と呼ばれることになる極めて反日的な態度をとりました。

スティムソンは、１９３１年の満洲事変の際には「九カ国条約ならびにパリ不戦条約違反である」として、満洲における日本の行動への「不承認主義」を明らかにし、事変の解決をいたずらに遅らせました。前掲したパトリック・ブキャナンの『不必要だった二つの大戦』によれば、スティムソンは《平和のために常に戦争を辞さない平和主義者》であり、《恒久平和のための永久戦争の信奉者》でした。まるで共産主義者が使うレトリックです。

そして九カ国条約にはもうひとつ、大きな問題がありました。そもそも、なぜこの条約は必要だったのでしょうか。大国が寄ってたかって面倒を見なければならないような中国という国がこの時、果たして国家と呼べるような存在だったのかという問題です。

## 信頼に値する政府が存在しなかった中国

1911年の辛亥革命以降、中国は内乱状態にありました。段祺瑞《だんきずい》の北京政府、後に蔣介石が南京政府として後継する孫文の広東政府、共産主義者による武漢政府の、少なくとも3つの政府がありました。

九カ国条約のように多数の諸国が中国について取り決めを締結すること自体、国際社会が、中国には信頼に値する統一政府が存在せず、従って中国はまともな独立国ではない、とみなしていたことの証拠です。九カ国条約は、中国の主権や独立を擁護する条約などでは決してなく、その無政府状態を利用して列強各国が抜け駆けをしないよう、互いを牽制《けんせい》し合う取り決めだったのです。ワシントン会議以降、我が国の中国対策が泥沼化していくのは、中国に統一政府が存在せず内戦状態にあったからに他なりません。

また、九カ国条約にはソ連が入っていなかったことにも注目すべきです。つまり、九カ国条約に参加していない以上、ソ連は中国、満洲、外蒙古において自由に行動することができました。1921年に始まるソ連の外蒙古への侵攻や傀儡政権の樹立について、アメリカは一切、批判も抗議も行っていません。満洲や中国本土での日本の行動に対しては厳しい態度で臨んでいたにもかかわらずです。

アメリカは実情を正しく理解した上で、ソ連の侵略行動を是認していました。自らが生みの親であるソ連の共産主義政権を守護し、さらに言えば、アメリカの世界戦略の一端をソ連に担わせていました。後の第二次世界大戦は、正統派歴史観がいう「民主主義国家」対「全体主義国家」の戦いではなく、「世界赤化勢力」対「反共産主義勢力」の戦いです。「国際主義」対「民族主義」の戦いだったと言うこともできるでしょう。

# 1930年代　ニューディール政策

**通　説**▼国民の不安を軽減しファシズムに対抗して民主主義を守る政策だった。

**歴史の真相**▼アメリカ経済を社会主義化することを目的とした政策だった。

## 社会主義を世界に広めるための構想

1929年にニューヨークの株式市場が大暴落し、世界恐慌が起こります。過熱した株式市場を警戒する投資家の心理からいわば自然発生的に暴落が起こったのではありません。すでにFRBの創設によってアメリカの金融を握った国際銀行家たちが意図的に株式を暴落させたのです。これによって、多数のアメリカ企業が倒産し二束三文でこれら国際銀行家たちに買い占められました。彼らはフーヴァー大統領の経済救済策に協力しませんでした。故に、フーヴァーは1932年の大統領選でフランクリン・ルーズベルトに敗北します。ルーズベルトはニューディール政策でアメリカ経済の立て直しを図ります。フーヴァーには冷たかった国際銀行家たちは、ルーズベルトには率先して協力します。それもそのはずです。ルーズベルトは彼らに大統領にしてもらったのですから。
ルーズベルト大統領の側近は、ウィルソン政権同様、社会主義者で固められていました。ルーズベルトはキングメーカーである社会主義者にとって大変好ましい「国際主義者」でした。ロシア革命の熱狂的支持者で、オクシデンタル石油の経営者であるユダヤ人のアーマンド・ハマーは、自伝『ドクター・ハマー』（広瀬隆訳　ダイヤモンド社）の中でルーズベルトを次のように評しています。

「彼はアメリカの政治体制を熱烈に擁護したが、同時に、アメリカの富が国民のためばかりでなく、全世界のために利用されるべきだと考えていた。そして、アメリカが全人類の進歩のために欠くことのできない存在であり、またそうなることが可能だと信じて疑わなかった。これこそ、あの雄弁と機知と魅力、そして思いやりをもって彼が提唱したニューディールの意義であり、推進力だったのである」

「ニューディールとはアメリカが全人類の進歩のために貢献する手段である」とは、つまり、「ニューディールはアメリカ人の富を使って社会主義的政策を世界に広めていくという構想である」ということです。だからこそ、社会主義者であるユダヤ系アメリカ人がニューディール政策の推進を担いました。

## 憲法違反に問われたニューディール政策

ニューディール政策は、その社会主義的傾向がアメリカ憲法に違反しているという理由で最高裁まで争われたことがあります。たとえば、物価調整を目的に生産量を調整する「全国産業復興法」は、企業活動を国家が規制しようとするものであり、憲法に示された経済の自由に違反する、という具合です。

こういった裁判において、最高裁の場でニューディール政策を支持し続けたのが、前出のブランダイス判事でした。ニューディールの政策立案者の多くはユダヤ系の政治家や弁護士で、そのための人材をリクルートしていたのがブランダイス判事と、おいのハーバード大学教授フェリックス・フランクファーターでした。

フランクファーターは、ルーズベルトの推薦のもとで1939年、ブランダイスとカルドーソに次ぐ三番目のユダヤ人最高裁判事に任命された人物です。ルーズベルトがニューヨーク州知事の時代からアドバイザーを務め、ニューディール政策立法についてさまざまな助言をルーズベルトに行っていました。フランクファーターが助言して成立させたニューディール政策立法をブランダイス最高裁判事が合憲と判断する、という図式です。フランクファーターは前出のスティムソンの友人であり、スティムソンが目をかけていた人物でもありました。

ニューディール政策は、アメリカ経済を社会主義化することを目的としました。当時の世界最強の資本主義国を社会主義化するという壮大な意図を持つ実験でした。その実験をもとに、ニューディール政策を世界に拡大しようとしたのが第二次世界大戦だったと言うこともできます。

アメリカの社会主義勢力は、第二次世界大戦において、「ソ連の擁護」と「中国の共産化」を計画しました。その核のひとつになったのがニューディール政策の中心人物、ブランダイスとフランクファーターだったのです。

## 1937年　日中戦争開始

**通　説**▼日本は南京占領の際に多数の中国人を殺害して国際世論の非難を浴びた。

**歴史の真相**▼アメリカは中国との戦争を日本が避けようとするのを阻止した。

### 「日本」対「ソ連を含む欧米諸国」の戦い

国際主義者で構成される世界社会主義化勢力にとって、中国と満洲は格好のターゲットでした。具体的な戦術は2つありました。ソ連およびコミンテルンによる共産主義の拡大浸透、そして英米金融資本家による中国経済の奪取です。実はこの2つは相通じています。

共産主義が第一の旗印に掲げるのは、国家組織の廃止です。そして金融資本家による世界経済戦略には、国家によるビジネス活動への干渉を排除するという側面があります。この2つに相通じる国家組織の排除ないし廃止という目的は、対外戦争と革命、つまり、国家内部の秩序崩壊によって実現することができます。

まず、欧米の武器商人が中国を近代武装化しました。欧米の各政府はそれを承認していて、時には、商人たちの事業資金のために借款まで供与して中国の近代武装化を推進しました。その目的は、つまり、中国に日本と戦争させることです。支那事変は日本と中国の戦いではありません。「日本」対「ソ連を含む欧米諸国」の戦いでした。

ソ連の外交官レフ・カラハンは、対中友好宣言である「カラハン宣言」を出して中国指導部を安心させ、その裏で満洲における共産主義政権樹立の工作を開始します。ソ連は満洲を統治していた軍閥・張作霖《ちょうさくりん》配下の郭松齢《かくしょうれい》という軍人を買収して反乱を起こさせますが、これは張作霖を支援した日本の関東軍が鎮圧しました。張作霖は満洲の治安安定化のために日本が最も頼りにしていた人物でした。関東軍が張作霖を支援した事実は、1928年6月に起きた張作霖爆殺事件の主犯探しである「関東軍参謀首謀説」に疑問符が打たれる理由のひとつにもなっています。

カラハンが中国工作員に資金援助をする一方、イギリス系ユダヤ人のモリス・コーエンが孫文に資金ならびに武器援助を行っていました。コーエンは、孫文亡き後、蒋介石に将軍の地位に任ぜられ、国民軍の訓練にあたった人物です。ソ連による南進と英米資本の北進は、蒋介石の北伐つまり北京軍閥政府への侵攻と連動していました。

中国の経済利権を独占したい英米にとっての危機感は、中国北部いわゆる北支が日本の影響下に入ってしまうことにありました。そこで英米金融資本家勢力は「支那幣制改革」という荒業に打って出ます。

## 英米金融資本家による中国の富の略奪

1935年に実施された「支那幣制改革」は、中国民衆が保有する銀を吐き出させて蔣介石政府発行の紙幣と交換するという政策です。イギリス政府の最高経済顧問リース・ロスが主導しました。この改革は、抗日の蔣介石政府に従っていなければ紙幣が紙くずになってしまうという意味において、対日政策です。実際、リース・ロスは自ら北支に赴いて北支民衆保有の銀を蔣介石の支配地域に輸送しようとしました。しかし、日本軍が鉄道駅で食い止め、北支においてこの政策は失敗しています。

民衆に吐き出させた銀は、上海財閥のサッスーン家などがイギリス市場に持ち出して売却し、銀の内外価格差を利用して巨利を得ました。蔣介石やその後ろ盾だった宋子文一族もこれに続きました。

中国の銀をめぐる儲《もう》け話にはアメリカのユダヤ人実業家も一枚かんでいました。前出のウィルソン大統領のキングメーカーだったバルークがルーズベルトに画策して、連邦政府の銀買い上げ価格を値上げする法律を制定させ、銀の国際価格をつり上げることに成功しています。銀本位制をとっていた中国はこの煽《あお》りを受け、その対策の一端を「支那幣制改革」は担うことになったのです。

アメリカ金融資本家とイギリス金融資本家は協調して中国の富を略奪しようとしていました。英米資本の対中国協調は、当然、日本に対する締め付けとして具体化します。ここに共産勢力が絡み、日本が、対中和平の道も共産勢力撲滅の道も失う発端になったのが1936年12月に起こった西安事件です。

## 日本から対中和平の可能性を奪った西安事件

蔣介石の配下にあった国民党の東北軍司令官・張学良が、対共産党作戦の打ち合わせと称して蔣介石を西安に呼び出し、監禁しました。蔣介石は、「共産党とともに日本と戦争すること」を約束させられて解放されます。これが西安事件です。

アメリカで活躍した日本人ジャーナリスト、カール・カワカミの『シナ大陸の真相』(福井雄三訳　展転社)によれば、張学良は共産主義者と交流を深め、「真の敵は蔣介石ではなく日本である」と説いて回っていた人物です。張学良が毛沢東の共産軍の指導で起こした事件であることは間違いないでしょうが、毛沢東は原則的にソ連の指令のもとで動いていました。西安事件のシナリオは、毛沢東とソ連コミンテルンの合作だったと言えるでしょう。

蔣介石の監禁をめぐって西安には、毛沢東配下の周恩来、蔣介石夫人の宋美齢らが集合しました。その中に、サッスーン財閥と英米金融資本家勢力の傀儡である宋子文がいました。もはや出来レースですが、張学良を説得したのは宋子文です。改めて蔣介石に国共合作を約束させたのも宋子文でしょう。このことから蔣介石は実質トップの地位を失い、国民政府の実権は宋子文と、その背後にいるサッスーン財閥に移っていきます。

西安事件の結果、抗日統一戦線が成立したことは日本にとって致命的な痛手でした。蔣介石が実権を失ったことは日中和平の可能性が消滅したことを意味し、国共合作は、共産勢力を撲滅して東アジアの赤化を防ぐことを事実上不可能にしました。

日本の中国での行動が侵略行為ではないことは、この西安事件から一目瞭然です。戦争を望んだのは国共合作が成立した中国であり、背後にいたソ連と英米です。この後、1937年7月の「盧溝橋事件」を皮切りに、「第二次上海事件」「南京攻略」をはじめとする日中の軍事衝突が続きます。日本政府が事変不拡大を目指して持ちかける和平方針のことごとくは、抗日統一戦線路線に縛られた名目上のトップ蔣介石に拒否され続け、状況は泥沼化していきました。

## 1941年　日米戦争開始

**通　説**▼中立を守っていたアメリカは反ファシズムを明確化した。

**歴史の真相**▼アメリカはドイツの前に日本と開戦する必要があった。

### 真珠湾攻撃はアメリカの画策

1941年12月8日（ハワイ時間7日）の真珠湾攻撃については、現在、次のことがアメリカ側の開示資料などによって明らかになっています。

「アメリカは日本軍や外務省の暗号を解読しており、攻撃が行われることを事前に承知していた」

「アメリカの損害を相当な規模にするために、ハワイの太平洋艦隊司令長官ハズバンド・キンメル提督とウォルター・ショート陸軍中将には、日本軍の攻撃情報を故意に与えていなかった」

「その結果、不意をつかれた真珠湾のアメリカ艦隊が大損害を受けた」

「しかも、日本政府の宣戦布告文の手交がワシントンの日本大使館のミスで攻撃開始後になってしまったため、卑劣なだまし討ちとなってアメリカ世論を一夜にして硬化させ、アメリカ議会が対日宣戦布告を行った」

これらの資料をもとに、最近の書籍で言えば、米国歴史協会会長を務めたチャールズ・ビーアド教授の『ルーズベルトの責任』（開米潤監訳　阿部直哉・丸茂恭子訳　藤原書店）やジャーナリストのロバート・スティネットの『真珠湾の真実』（妹尾作太男訳　文藝春秋）などが、「日米戦争は、日本が一方的にアメリカを侵略したのではなく、アメリカが日本を挑発して第一撃を打たせようと画策していた戦争である」ということを明らかにしています。

## 自国民を犠牲にしたルーズベルト

　現場の軍首脳に故意に情報を与えず、自国民の生命を犠牲にしてまで日米開戦を謀略したという説はなかなか納得できるものではありません。真珠湾に配備された太平洋艦隊がそれなりの準備のもとで反撃したとしても、参戦を支持する国民世論に変わりはなかったでしょう。また、日本はアメリカに宣戦布告をしていますから、自動的に戦闘状態に入りました。アメリカ議会の宣戦布告は形式的なものです。

　考えられるのは、「日本と戦争することなど考えていなかったと後に開き直る証拠として真珠湾を無防備にしておいた」ということです。現に、真珠湾攻撃の数日前にルーズベルトは昭和天皇に、日米の平和を希求している、という旨の親電を送り、この件におけるアリバイ作りを行っています。

　つまり、ルーズベルトは自身の責任を逃れるために真珠湾を無防備にした、ということです。ルーズベルトは、自らが指揮している対日本挑発行為は疚《やま》しいものだ、と承知していたのです。そして、自ら指揮していることが戦争を挑発するものだとは思っていなかった、というアリバイ工作で真珠湾のアメリカ軍人2000人余の生命を犠牲にしました。

前出のロバート・スティネットは『真珠湾の真実』の中で《ルーズベルトが民主主義を守るという大義の下、第二次世界大戦に参戦してイギリスを助けるために日本を挑発したこと、そして真珠湾の軍人を犠牲にしたことは正しかった》と結論づけています。私はこれには同意できません。スティネットは、「正しかった」ことの根拠を同書の中で、ドイツに対米宣戦布告させるために日本を挑発した結果が真珠湾だ、としているからです。これは「裏口参戦論」と呼ばれています。

## 無理のある「裏口参戦論」

裏口参戦論とは、「日本に第一撃を打たせて日米戦争に突入することで、日独伊三国同盟の約定あるいは精神のもとにドイツが対米参戦することを狙う」ことを指します。ドイツに対米参戦させることが、アメリカの対日挑発の目的だったというわけです。

アメリカの正統派の歴史学者も主張していますが、日独伊三国同盟を厳密に解釈すれば、日本がアメリカを攻撃したからといって自動的に対アメリカ戦に参戦する義務をドイツが負うことはありません。日本がアメリカから先に攻撃された場合は、ドイツはアメリカに宣戦布告する義務がありますが、真珠湾のケースでは、条約上、ドイツがアメリカに宣戦布告する義務はないのです。

アメリカが本当に裏口からのドイツ参戦を狙うなら、アメリカが最初に日本を攻撃すればよかっただけの話です。もっとも、これには米世論の強い反対があって、議会は対日戦争を承認しなかったでしょうが。裏口などを期待するまでもなくドイツがアメリカに宣戦布告したので、アメリカはドイツとの戦争を開始することができました。ドイツとの戦争を開始したいがために日本を挑発したという「裏口参戦論」には根拠がありません。

## 日本と戦争をする必要があったアメリカ

日本の対米宣戦布告を受けて、真珠湾攻撃の数日後、ドイツはアメリカに対して宣戦布告しました。つまり、重要なのは日本の対米宣戦布告であって、真珠湾攻撃は、ドイツ参戦の動機として必要なものではありませんでした。

シナリオはドイツとは関係ありません。日米戦争を開始するためにアメリカは、ルーズベルトの謀略を前提に、どうしても日本に真珠湾を攻撃させる必要があったということになります。フィリピンへの攻撃では、世論の状況からアメリカ議会が対日宣戦布告を決定することは困難だったでしょう。石油確保のためにオランダ領インドネシアを攻撃したのであればなおさら、アメリカが日本に宣戦布告することは不可能です。

ルーズベルトは、ドイツとの戦争を開始する前にどうしても日米戦争を開始しなければなりませんでした。なぜなら、中国を共産化するために、中国における日本の影響力を排除する必要があったからです。先にドイツとの戦争に突入してしまえば、中国に介入するチャンスが失われる危険性がありました。「裏口参戦論」は、アメリカの真意を隠すための恣意的な情報、ディスインフォメーションであると私は思います。

アメリカは西安事件を操り、支那事変においては借款を与えたり、武器援助を行ったりするなど、事実上すでに蔣介石側に立って日本と戦っていました。蔣介石支援を明らかにして正面から日本と戦うため、日本と正式に戦争状態に入ることが必要だったのです。

## 事実上1940年10月7日時点で対日宣戦布告していたアメリカ

アメリカの日本挑発の実際を知るために記憶しておくべき文書があります。1940年10月7日に作成された「マッカラム覚書」です。海軍情報部極東課長のアーサー・マッカラム海軍少佐が作成しました。「マッカラム覚書」には、日本を対米戦争に導くための、次の8項目が記されていました。

①太平洋の英軍基地、特にシンガポールの使用についてイギリスとの協定締結
②蘭印（オランダ領東インド。現在のインドネシア）内の基地施設の使用、および補給物資の取得に関するオランダとの協定締結
③中国の蔣介石に可能な、あらゆる援助の提供
④遠距離航行能力を有する重巡洋艦一個戦隊を東洋、フィリピン、またはシンガポールへ派遣すること
⑤潜水戦隊二隊の東洋派遣
⑥現在、太平洋のハワイ諸島にいる米艦隊主力を維持すること
⑦日本の不当な経済的要求、特に石油に対する要求をオランダが拒否するよう主張すること
⑧英帝国が日本に対して押しつける同様な通商禁止と協力して行われる、日本との全面的な通商禁止

前出のロバート・スティネットの『真珠湾の真実』によれば、このマッカラムの8項目

提案はルーズベルトの指示によって翌日から組織的に実施に移されました。つまり、1940年10月7日以降、アメリカはすでに、我が国のいかなる対米関係改善の提案についても聞く耳を持たない状態にあったのです。

このマッカラム覚書をもって、事実上アメリカは日本に宣戦布告したとみなすことができます。日本は、最後まで無駄な和平努力を強いられました。そしてこのマッカラム覚書の存在はまた、対米戦争は日本の自衛戦争だったことの証明です。

## アメリカの狙いは世界の共産化

正統派の歴史観は、「アメリカはファシズムに対抗し、民主主義を守るために第二次世界大戦を戦った」とします。ならばなぜ、全体主義の権化である共産主義国ソ連と1941年、武器貸与法をもって実質上の同盟関係を結んだのでしょうか。

よく言われる、ルーズベルトは共産主義を誤解していた、スターリンに騙《だま》されていた、などの説には根本的な欠陥があります。欠陥とは、アメリカの世界戦略はルーズベルト大統領自身が決めていた、という思い込みです。違います。日米戦争を計画したのはルーズベルト大統領ではありません。大統領の背後にいる勢力によって対日戦争は決められていたのです。背後にいる勢力とは、国際主義者からなるユダヤ人勢力です。アメリカの政治は伝統的に、モンロー主義と呼ばれる孤立主義者と国際主義者との力関係で決まっていました。ウィルソン大統領が国際主義政策をとったのは、彼の背後にいたのがすべて、マンデル・ハウス大佐、ポール・ウォーバーグ、バーナード・バルークといった国際主義者だったからです。ウィルソン大統領は確かに理想主義者でしたが、そこをこそ彼ら国際主義者に利用されてしまったと考えるべきでしょう。

ルーズベルト大統領をとり巻く学識経験者いわゆるブレーントラストたちも国際主義者で固められていました。ルーズベルトの頭脳と称されたコロンビア大学教授レイモンド・モーレー、マルクス主義経済学者のコロンビア大学教授レックス・ダグウェル、社会主義者スチュアート・チェーズ、農務長官顧問モルデカイ・エゼキエルが有名です。これらの人材をルーズベルト周辺に送り込んだ人物が、ハーバード大学教授のフェリックス・フランクファーターでした。彼は１９３９年に米最高裁判所判事に任命されます。

ウィルソンとルーズベルトの背後には、ハウス大佐、バルークなど、基本的に同じ人物がおり、国際主義という同じ思想を持つ勢力がありました。彼らは、一貫して世界を社会主義化＝共産化する計画を追求し続けたのです。

# 第二章

# 国際金融勢力のための冷戦

【1941年～1989年】

# 学校教育で教わる歴史概説　1941年〜1989年

1941年12月8日、日本軍はハワイ真珠湾の米海軍基地を攻撃、アメリカ・イギリスに宣戦し太平洋戦争に突入した。日本が掲げたスローガン・大東亜共栄圏は中国・東南アジア支配の正当化であり各地で反日抵抗運動が起こった。1942年のミッドウェー海戦で大敗した日本は戦争の主導権を失う。1945年2月、米・英・ソ3国首脳によりドイツの処理や国際連合の準備、秘密事項としてソ連の対日参戦などを含むヤルタ協定が結ばれる。7月、日本に降伏を求めるポツダム宣言が発表され、8月6日広島、9日長崎への原子爆弾投下を経て14日に日本は降伏、アメリカによる事実上の単独占領下に置かれた。民主的改革が実施され、極東国際軍事裁判で戦争犯罪が裁かれた。1946年、主権在民・基本的人権の尊重・象徴天皇制・戦争放棄を謳う日本国憲法が公布された。

大戦の反省から、戦後世界の平和や繁栄の実現を目的として、国際連合をはじめさまざまな国際機関が樹立された。しかし戦後程なく米ソ両国間に「冷戦」と呼ばれる緊張状態が発生し、世界は東西両陣営に分裂する。東側の社会主義陣営はソ連に加えて東欧や中国・キューバ・ベトナムなどにも拡大、陣営内部の中ソの対立、共産党一党体制の問題点も表面化する。植民地状態に置かれてきたアジアやアフリカの諸民族は独立を達成したが、民族の分断や局地的な戦争への直面などの問題も抱える。

戦後世界ではアメリカ合衆国を中心とした自由貿易体制が樹立された。先進国では急速な経済成長が進み「豊かな社会」が実現したが、環境破壊や資源枯渇などの危機が生じるようになる。一方、アジア・アフリカ諸国は独立後も深刻な貧困問題を抱え、先進国との間に「南北問題」が起こった。一方、1970年代以降、発展途上国の中で工業化に成功する国々が登場するが、「南南格差」が発生することになる。中国は文化大革命が終わりを告げ、経済建設を重視する方針への転換を決定し、改革・開放路線を推進していく。

アメリカ合衆国において貿易収支が赤字に転換、戦後のブレトン＝ウッズ国際経済体制は転換期を迎え、1973年、先進工業国の通貨は変動相場制へ移行し、世界経済は合衆国・西ヨーロッパ・日本の三極構造へ向かい始めた。1980年代には自動車やコンピューターなどの部門で貿易摩擦が激化した。

ソ連は1985年に転換期を迎える。ゴルバチョフが書記長に就任、言論の自由化や国内改革（ペレストロイカ）を行い外交の緊張緩和を推進した。東欧諸国で民主化が進み、1989年11月には東西ドイツのベルリンの壁が開放、一気にソ連崩壊へと向かうことになる。

## 1941年　独ソ戦開始

**通　説**▼ドイツが独ソ不可侵条約を破って奇襲をかけた。
**歴史の真相**▼ヒトラーは戦争をけしかけた勢力に踊らされていた。

### ちぐはぐだったヒトラーの作戦

日本の真珠湾攻撃の半年前、1941年6月の独ソ戦の開戦は、第二次世界大戦の重要なターニングポイントとなる出来事でした。ナチスドイツは1939年に独ソ不可侵条約を結んでいます。ヒトラーはポーランド侵攻を視野に入れていましたから、イギリス・フランスと戦争状態に入ることを前提に、地理的にその背後に控えているソ連を敵には回したくなかったからだとされています。

しかし、情勢から見てソ連とドイツが戦争状態になるのは時間の問題だと見られていました。1941年6月、ナチスドイツはバルバロッサ作戦の名の下、ソ連に奇襲をかけます。英仏はソ連を支持しました。当時まだドイツにも日本にも宣戦布告しておらず中立の立場にいたアメリカはソ連に対して武器貸与法を適用し、事実上ソ連と同盟関係となります。教科書的な正統派の歴史観では、ここにおいて第二次世界大戦が明らかに「ファシズム対反ファシズム」の戦いとなったとされています。

独ソ戦の開始を告げることになったバルバロッサ作戦は、ソ連から見て西部方面（ミンスク）、北西方面（レニングラード）、南西方面（ウクライナ）の3か所に分けて展開されました。これについて、ウィリアム・バー編集、鈴木主税訳『キッシンジャー［最高機密］会話録』（毎日新聞社　1999年）に興味深い話が載っています。

1971年から翌年にかけて、当時米大統領補佐官だったヘンリー・キッシンジャーはたびたび訪中します。1972年のニクソン訪中のための準備です。当時主席の毛沢東がキッシンジャーに「なぜヒトラーはソ連を攻撃する時に3か所に分けて攻撃したのか」と質問しました。レニングラードを落として一直線にモスクワに向かえばヒトラーは簡単に勝てたはずだ、というわけです。ところがヒトラーはそうしませんでした。

毛沢東はまた、1940年のダンケルク（フランス）の戦いにも疑問を持っていました。英仏に大勝した戦いです。ヒトラーは直後にパリを占領しましたが、イギリス上陸は敢行しませんでした。ナチスドイツの作戦には極めてちぐはぐなところがあるのです。

毛沢東の質問に対してキッシンジャーは「芸術的な戦略をとろうとしたからだ」などとはぐらかしました。ならばなぜそんないい加減なヒトラーにドイツ国民は従ったのか、という質問に対しては「ヒトラーには強烈な個性があった」「ドイツ人はロマンチックなのだ」などと答えます。最終的には毛沢東の「第一次世界大戦で被った恥辱を晴らすというところに最大の支持を集めた」という分析に、キッシンジャーもこれを認めています。

そして、毛沢東とキッシンジャーのこのやりとりの中に、第二次世界大戦の謎を解くヒントが隠されています。

## 敵対勢力を同時に援助する国際金融勢力

誤解を恐れずに言いましょう。ヒトラーの作戦がちぐはぐだったのは、ヒトラーに資金援助を行って政権をとらせたのが、実は英米の資本家たち、および英米の資本家たちと意を通じていたドイツの財閥だったからです。

たとえば、1989～93年任期の米大統領ジョージ・ブッシュの父プレスコット・ブッシュは戦時中においてもヒトラーに資金援助をしていました。アメリカのユダヤ人銀行家ポール・ウォーバーグ、ヤコブ・シフも支援していました。ドイツにはウォーバーグの実兄マックス・ワールブルックやオッペンハイム男爵などのユダヤ財閥がありました。ドイツ化学産業・鉄鋼業の雄ＩＧファルベンのヘルマン・シュミッツ会長などが、ロックフェラー家のスタンダード石油やイギリス・ロスチャイルド家の帝国化学工業の援助を受けながらヒトラーを支援していました。

敵対勢力にも同時に援助するというのがユダヤ人金融勢力の常套《じょうとう》手段でした。敵はあくまでも敵であり、味方はあくまでも味方であるという硬直した見方では歴史の深部は見えてきません。

高速自動車網アウトバーンを建設したのがヒトラーであることはよく知られています。第二次世界大戦開戦前に３８６０㎞を完成させています。ドイツは第一次世界大戦の敗北で天文学的数字の賠償金を背負わされた国です。そんなドイツが、どうしてヒトラーの下で、このような経済発展を遂げることができたのでしょうか。

教科書などには出てきませんが、その理由は簡単です。ヒトラーはハイパー・インフレーションによって疲弊した経済を立て直すためにバーター貿易を行いました。国際銀行家が発行する通貨を使用しない貿易です。互いの国家に必要な物資を交換することで、双方が債務を負うことなく行える貿易です。また、国際銀行家が所有するドイツ中央銀行を国有化します。

これは、ドイツは国際銀行家から借金をしない、ということを意味します。ヒトラーは、政府の強力な指導力によってドイツ人の生活を保障するプロジェクトに資金を提供し、短期間のうちにドイツをヨーロッパで最も豊かな国に躍進させました。だからヒトラーはドイツ国民の支持を集めたのです。

そして、だからこそヒトラーは、その誕生に力を貸したはずの国際金融勢力から目の敵にされるようになったのです。

## 国際金融勢力の逆鱗に触れたヒトラー

ヒトラーが推進したバーター貿易や中央銀行の国有化は、ドイツは国際銀行家から借金をしない、負債を抱えない、ということを意味します。このヒトラー独自の経済システムは、国際金融勢力が営々として築き上げてきた「負債によって機能する金融制度」への挑戦を意味するものでした。従ってドイツは世界中から「国家社会主義の独裁国家」「ファシズム国家」などのネガティブなレッテルを貼られ、ヒトラーは世界制覇を目論《もくろ》む極悪人に仕立て上げられ、第二次世界大戦での破滅へと導かれていくことになったのです。

ちなみに、ヒトラー極悪人説を決定づけたユダヤ人ホロコーストは、第二次世界大戦発生当初は、まだ始まっていませんでした。だから、連合国はホロコースト故にドイツに宣戦したのではなかったのです。そういう側面を覚えておく必要があると私は思います。

同様の例は、南北戦争時代（1861〜65年）のアメリカにすでに見られます。当時大統領のエイブラハム・リンカーンは南北戦争において、政府通貨を発行することで戦費を調達しました。政府がこのまま通貨発行権を握り続ければ、政府は負債をせずに国家運営していけることになります。ヒトラーの目論見と結果的に同じです。つまりリンカーンは、国際金融資本家たちが築き上げてきたマネーのシステムを崩壊させようとする政治家でした。1865年、リンカーンは暗殺されます。

正統派の歴史観においてヒトラーは極悪非道の人間として記録されています。しかし、ヒトラーがどのようにして政権を把握するに至ったか、ヒトラーのユダヤ人政策とは何だったのか、このあたりはさらに冷静に研究がなされるべきだと思います。そうしなければ、第二次世界大戦はいったい誰が、何の目的で引き起こしたのかが明らかにならないからです。

# 1945年　ヤルタ会談

**通　説**▼チャーチル、ルーズベルト、スターリンが戦後処理を話し合った。

**歴史の真相**▼これら三巨頭ではなくロンドンの銀行家が戦後処理の大枠を決めていた。

## スターリンの一人勝ちの意味

1945年2月のクリミアのヤルタで開催されたヤルタ会談が特によく知られていますが、1944年から翌年にかけて、イギリスのチャーチル首相、アメリカのルーズベルト大統領、ソ連の最高指導者スターリンの、いわゆる3国首脳が頻繁に交渉を行います。第二次世界大戦での連合国側の勝利はすでに見えていて、主にその戦後処理についての取り決めをするためにです。

戦後処理についての取り決めとはつまり、国境の更新が必要な場合どう国境を引き直すか、どの地域・どの資産を連合国側のどの国がとるか、連合国のどの政治勢力がどの地域を治めるかなど、言ってしまえば縄張りを取り決めることです。

正統派の歴史観では、ヤルタ会談はスターリンの一人勝ちだった、とされています。事実として第二次世界大戦終結後、リトアニア、ラトビア、エストニアのバルト三国はソ連に編入され、ポーランドをはじめ東欧諸国も次々と共産化してソ連の衛星国となり、アジアにおいても中国、北朝鮮が共産化されました。

後のポツダム会談を含めスターリンの一人勝ちに見えることについて正統派の歴史学者たちは、「秘密主義のスターリンに騙された」「ルーズベルトは病気だった」「ルーズベルトの後継者トルーマンが未熟だった」などと理屈にならない理屈をつけます。考えてみれば簡単にわかることですが、会談に同行したルーズベルトやトルーマンのアメリカ代表団は、国務長官はじめ政府高官レベルの錚々《そうそう》たるメンバーです。イギリスもソ連も同様政府高官が同行していました。このような状態の下では、誰かが一方的に他方を騙すなどということは考えられません。同行したメンバーが文書のひとつひとつを入念にチェックするわけですから、不利な条件を見逃すはずはないのです。

こうした一方的な結果は、騙されたり見逃されたのではなく、どこか「裏」からの指示に従わざるを得ない事情があったと考えるのが常識というものです。現に、ヤルタ会談でルーズベルトに常に付き添って会談中に耳打ちしたりメモを入れたりしていたのは、ハリー・ホプキンス補佐官と国務省職員のアルジャー・ヒスだったことが明らかになっています。ホプキンスは共産主義者のユダヤ人で、ヒスは後にソ連のスパイとして訴追されました。彼らの耳打ちやメモは誰の指示で行われていたのでしょうか。その裏の指示者は誰かについて、スターリンの通訳者が真相を暴露しています。

## チャーチルの紙切れ

ワレンチン・M・ベレズホフ著、栗山洋児訳『私は、スターリンの通訳だった。―第二次世界大戦秘話』（同朋舎出版）に、衝撃的な内容が紹介されています。ヤルタ会談の4カ月ほど前、ヒトラー率いるナチスドイツの敗北が濃厚となった1944年の10月に、モスクワでスターリンとチャーチルが会談しました。主な議題は、東欧諸国の戦後処理です。ルーズベルトは大統領選挙中のため欠席し、代わりにハリマン駐ソ大使がオブザーバーとして出席しました。

この会談の席でチャーチルは、胸ポケットから紙切れをとり出してスターリンに示しながら、「つまらんものですが、私はここに、ロンドンの特定の人間の考えを示す紙切れを持参しています」と説明したというのです。その紙切れには次のように、国名と数字のみが書かれていました。

・ルーマニア　ロシア……90パーセント　その他の国……10パーセント
・ギリシャ　イギリス（アメリカとともに）……90パーセント　ロシア……10パーセント
・ユーゴスラビア　50パーセント、50パーセント
・ハンガリー　50パーセント、50パーセント
・ブルガリア　ロシア……75パーセント　その他の国……25パーセント

どの地域・どの資産を連合国側のどの国がとるか、のパーセンテージです。ロシアは当然ソ連のことですが、この時点で極めて有利な数字になっています。この提案についてはその後、両国の間でやりとりがあったわけですが、私が注目するのはチャーチルの「ロンドンの特定の人間の考えを示す紙切れ」という言葉です。

「ロンドンの特定の人間」とは果たして誰のことでしょうか。ロンドン・シティの国際金融資本家であり、さらに限定すればロスチャイルド家であり、さらに限定すれば当時のロスチャイルド家当主ヴィクター・ロスチャイルドのことに違いありません。つまり、第二次世界大戦の戦後処理の大枠は、チャーチルやルーズベルトやスターリンなどといった国家の指導者ではなく、ロンドンの国際銀行家が決めていたのです。

もっとも、チャーチルの回顧録によれば、この紙切れはチャーチルが書いたと記されていますが、これが正しくないことは世界の最強国アメリカのルーズベルト大統領が不在の会合で、チャーチルが独自に提案できるはずがないことからも明らかです。つまり、ルーズベルトがいなくても物事を決めることができる人物が書いた紙切れであると解釈できるわけです。だから、スターリンもこの紙切れに従って議論することができたのです。

ちなみにスターリンはジョージア（グルジア）人です。ユダヤ人ではないかという説も根強くありますが、私はそうではないと考えています。一国社会主義といったナショナリズムの発想はユダヤ思想に馴染みません。また、当時、ユダヤ系ロシア人たちがクリミア半島をユダヤ人の自治共和国にする訴えを起こしましたがスターリンは拒否しています。

訴えの背景にアメリカの、イスラエルでのユダヤ人国家建設を主張するシオニストの影響を見たから拒否したという意見もありますが、もしスターリンがユダヤ人であればこの訴えを拒否することは通常考えられないことだと思います。

スターリンは、朝鮮戦争が始まる1950年くらいまでは、欧米の国際金融資本家の意向をそれなりに考慮に入れて政権運営にあたってきたのです。ヤルタ会談がスターリンの一人勝ちに見えるのはそのためです。

# 1945年　GHQによる日本占領

**通　説**▼軍隊の解散、女性解放、農地改革、教育改革などの民主的改革を実施した。
**歴史の真相**▼日本を弱体化するため社会主義化することを目的とした。

## 民主化の名のもとに行われた占領政策

ポツダム宣言を受諾した日本に対して1945年10月、東京の有楽町にGHQ（連合国軍最高司令官総司令部）が設置されます。最高司令官（SCAP）はダグラス・マッカーサーです。連合国軍とありますが、事実上アメリカ一国による軍事占領でした。

アメリカの最大の目的は、日本が強力な国家として再生することの阻止、でした。日本が二度と軍事強国とならないように徹底的に日本を抑えるための占領政策を展開していきました。占領政策は「民主化」の名のもとに行われていきます。

まずアメリカは、日本が強国だった背景には強いナショナリズムと民族団結力があると考えました。そこで、その基盤である日本の歴史、文化、慣習、伝統などを封建的で遅れたものであるとして否定し、代わりに自由主義や個人主義を持ち込みました。アイデンティティを破壊して、そこにできた精神的空白にリベラリズムを植え付ける作戦です。リベラリズムは自由を尊重する進歩思想のように思われていますが、実態は社会主義思想です。

なぜなら、リベラル思想は秩序破壊のイデオロギーだからです。個人を取り巻く不自由や不幸は、現行の秩序によって個人が疎外されているからだとして、伝統秩序からの脱却を呼びかけるのです。行き着くところは、伝統秩序の破壊、個人の無国籍化になります。

無国籍化の思想であるリベラリズムは先進の思想として喧伝《けんでん》され、アメリカは、日本は封建体制を克服して民主化される必要があるとし、精神破壊政策に努めます。実は同じく敗戦国であるドイツに対しては、このような精神破壊政策は行っていません。ではなぜアメリカは、日本人の精神を徹底的に破壊する必要があったのでしょうか。

## 原爆を恐怖し続けるアメリカ

日本を精神的に立ち直れない国にしなければならないとアメリカが考えた最大の理由こそは、広島・長崎に原爆投下したアメリカに対する日本人の復讐《ふくしゅう》への恐怖心、です。実際、国際法上、日本は原爆投下に復讐する当然の権利を持っています。

それ以上に、と言ってもいいかと思いますが、アメリカ人には聖書の民であるという側面があります。神が正しいと言えば他人を殺すことも厭《いと》いません。しかし、自分が神の意志に反したと思えば、呪われる側に立ってしまったと恐怖します。アメリカの原爆開発政策・マンハッタン計画の責任者だったユダヤ系の原子物理学者ロバート・オッペンハイマーは、１９４５年7月16日に実施した人類初の原爆実験を目の当たりにして戦慄《せんりつ》します。ヒンズー教の聖典バガバード・ギータの一文「今私は死となった」を引用して、世界の破壊者となってしまったことを自覚したと告白したことが記録に残っています。

20世紀も終わりに近づいた１９９９年の暮れにアメリカのＡＰ通信社が20世紀の世界20大ニュースを発表しました。トップは広島・長崎への原爆投下でした。20世紀は、原子爆弾の登場によって人類の運命が決定的に変わってしまった世紀でもあります。広島・長崎への原爆投下はどんなに正当化しようとしてもできるものではないということをアメリカ人は知っています。だからこそのトップ扱いであり、その記憶を後世に残そうとしました。裏返せば、日本は原爆投下の復讐をする可能性があるから注意しろ、日本にアメリカ以上の軍事力、特に核兵器を持たせてはいけない、という趣旨が込められていると勘繰ることも可能でしょう。

広島の原爆慰霊碑に「安らかに眠って下さい。過ちは繰返しませぬから」という言葉が刻まれています。過ちとは誰の過ちのことを言っているのかなど、さまざまな議論のある言葉です。私はこの言葉を「日本はアメリカに復讐しません、原爆を投下したアメリカの過ちに対し、日本はアメリカに原爆を落とし返して報復するという過ちを繰り返すことはしません。日本は世界の平和のために努力します。だから、どうか亡くなられた皆さん、天国で安らかにお休み下さい」と解釈するのがいいのではないかと考えています。日本国内で十分にコンセンサスのとれる文意ではないかと思います。この誓いには、アメリカ人も耳を傾けざるを得ないでしょう。

事実、私たちは核兵器の廃絶を世界に訴え続けていますが、原爆を投下したアメリカを憎んだり恨んだりしていません。私たちは「アメリカが原爆を投下した」とは普通言いません。主語が無く「原爆が投下された」と受け身で表現しているのです。

## 日本人による日本人の言論の検閲

日本人の精神を破壊するためにＧＨＱは、新聞、ラジオ、出版など一切のメディアの言論を検閲し統制しました。江藤淳氏の優れた著作『閉された言語空間―占領軍の検閲と戦後日本』（文藝春秋　1994年）によれば検閲指針は30項目にわたり、その目的は、日本人を日本人でなくしてしまうこと、いわば無国籍人に改造してしまうことでした。無国籍人とは「地球市民」という言葉に象徴されるように、祖国を持たない根なし草になることを意味します。

1946年から48年にかけて行われた極東軍事裁判で展開した、いわゆる東京裁判史観に沿って書き換えられた日本の歴史が検閲の指針でした。日本は邪悪な侵略国家だった、という軸で統一されました。

GHQの方針は日本人検閲官を使って日本人の言論を検閲するということです。植民地統治の鉄則である「分割統治」です。これが功を奏しました。21世紀の現在の日本人の中に、日本は悪い国だったとする人々が今も多くいるのはこのためです。検閲の成功の秘密はいったいどこにあったのでしょうか。

実際に検閲にあたったのは英語ができる高学歴のインテリ日本人でした。日給1000円、月給が現在の価値で1000万円を超えるという高給取りでした。検閲の後ろめたさとの心理的葛藤には自己正当化が必要です。そのためには、まず自分が、日本は犯罪国家だったと信じる必要があります。

検閲される側の協力や服従も必要です。言論人には、検閲に従わなければ新聞記事などを発表できない、仕事にならないという事情が当然、ありました。生活には代えられません。

検閲される側も方針に沿うように次第次第に自己規制を始め、ついには積極的に検閲官におもねるようになっていきました。検閲官と被検閲者はまさに共犯関係に陥りました。そして重要なことは、この共犯関係は当事者以外に知られることはなかったために、大変居心地のいい、相互に多大な利益のある関係になってしまった、ということです。

1951年、サンフランシスコ講和条約によって日本は再び独立します。検閲官は公式には廃止されましたが、元検閲官たちはその過去を隠して官界、経済界、教育界、学界など各界の指導的立場に戻りました。共犯関係にあった被検閲者は、共犯の忌まわしさがばれることを防ぐために検閲の指針を墨守し、言論界をその後も支配します。

検閲官および被検閲者のような存在を戦後利得者と言います。つまり利権です。彼らはこの利権構造を維持するために共犯関係の事実が暴露されないことを必要としており、それゆえ、この共犯関係は今も隠然と続いています。これこそ、GHQが巧妙に編み出した日本を永遠に縛り続ける方式でした。ＧＨＱは占領終了後の日本において、彼らの日本弱体化路線をどう維持するかに腐心した結果、ＧＨＱの利権に群がった戦後利得者に日本を支配させることにしたのです。これが、今日に至るも依然として日本人の手で日本弱体化政策が継続されている理由です。日本は今も精神的にＧＨＱの占領下にある、と言うことができます。

## ＷＧＩＰと穢れ忌避思想

日本人による日本人の検閲という政策はひそかに行われました。一方、公に、あからさまに国民に向けて展開されたのがウォー・ギルト・インフォメーション・プログラム（WGIP　War Guilt Information Program）です。日本人に戦争の罪悪感を植え付けるための、ラジオ番組や新聞記事などを使った宣伝です。

かくして、日本人は洗脳されました。しかし、この洗脳が成功した背景には日本人の伝統的な思想つまり戦争や権力政治を穢れたものとして嫌う「穢れ忌避思想」があったと私は考えています。戦争がもたらした死穢《しえ》を避けたいと思う心理が、戦争がもたらした国土荒廃への悲しみとあいまって、大東亜戦争を否定する宣伝に染まっていったと言えるでしよう。

現在に至るも国防、治安、外交という国の安全を担う仕事が国民の支持を得難いのはこの穢れ忌避思想の影響があると考えられます。財界幹部の、他国への気遣いが過ぎるように見える国際情勢に関する発言も、ビジネスのためには平和が必要だという意識以外に、この思想の影響があるように思えます。選挙民あっての政治家には、戦争を嫌う伝統的な国民意識を考慮する必要があります。

東京裁判史観は、保守派とされる政治家や財界にも浸透しています。戦争を嫌うのは大切な感情です。問題は、戦争忌避と国家の安全とのバランスをどうとって日本の国家戦略を立てるかというところにあります。

## 1948年 マーシャル・プランの開始

**通　説**▼共産主義化防止を目的としてアメリカはヨーロッパに経済援助を行った。
**歴史の真相**▼ジョージ・マーシャルこそは共産党独裁・中華人民共和国の生みの親だった。

## 中国共産党立て直しの時間稼ぎをしたマーシャル

1948年、アメリカはヨーロッパ経済復興援助計画を発表します。正統派の歴史観によれば、戦後ヨーロッパの経済的困窮が共産党拡大の原因だとして始めた、反共反ソ政策・トルーマン＝ドクトリンの一環です。支援を発表した、当時の国務長官ジョージ・マーシャルの名をとってマーシャル・プランと呼ばれています。西欧は支援を受け入れますがソ連・東欧は受け入れず、共産党勢力は共産党情報局・コミンフォルムを結成して対抗を始め、ここから「冷戦」と呼ばれる緊張状態が激化していった、とされています。

ジョージ・マーシャルは軍人です。第二次世界大戦時は陸軍参謀総長を務め、戦後に国務長官、国防長官を歴任しました。

第二次世界大戦後、直ちに中国では蔣介石率いる国民党と毛沢東率いる共産党との間で内戦が起こります。マーシャル将軍は、トルーマン大統領の特使として中国に派遣されました。表向きはもちろん、国民党援助です。しかしマーシャル将軍は国民党への武器援助実施を遅らせ、共産党軍との即時停戦を主張しました。そして共産党との連立政権を強要したのです。それまで有利に戦いを進めていた蔣介石に停戦を命じたことは、共産党軍立て直しのための時間稼ぎでした。

マーシャル将軍のこのような行動は、マーシャルが共産主義シンパだったからだとか、アメリカ政府中枢にいたコミンテルンのスパイの謀略に引っかかったから、などと言われています。そういった側面も否定はできないのですが、トルーマン大統領およびマーシャル将軍に対して指示した何らかの強力な勢力が存在していたと考える方が自然であり、それは公開資料からも見えてきます。

## ■ソ連の評価が高いマーシャル将軍

マーシャルは、共産党勢力を封じ込めるためのヨーロッパ経済復興援助計画の提唱者でした。1955年にソ連がワルシャワ条約機構を結成して対応しなければならなくなったアメリカを中心とする西側ヨーロッパ諸国の軍事同盟・NATO（北大西洋条約機構　1949年成立）の強化に努めた人物でもあります。ソ連からすれば天敵のような人物ですが、ソ連側のマーシャルの評価には高いものがありました。

アンドレイ・グロムイコは1946年から49年まで国際連合安全保障理事会のソ連代

表、その後外務大臣を長く務めた人ですが、『グロムイコ回想録―ソ連外交秘史』（読売新聞社外報部訳　読売新聞社　1989年）を見ると、「マーシャルの重要性は、テヘラン、ヤルタ、ポツダムの各会談に参加した事実からわかる」「アメリカ政府は戦場で彼の権威をあてにした」「マーシャルには外交官のモーニングコートも軍服もともによく似合ったようだ」など、マーシャルに対して可能な限りの賛辞を贈っていることがわかります。マーシャルはソ連にとって信頼の置ける仲間でした。

一方、1950年代アメリカの反共運動、いわゆる赤狩りのシンボル的存在だった上院議員ジョセフ・マッカーシーは、『共産中国はアメリカがつくった―G・マーシャルの背信外交』（副島隆彦監修　本原俊裕訳　成甲書房　2005年。原題は『America's Retreat from Victory-The Story of George Catlett Marshall』1951年）で、共産主義シンパであるところのマーシャルを徹底的に糾弾しています。その中でマッカーシーは、マーシャルの前任の国務長官ジェームズ・バーンズの著書にあるスターリンのマーシャル評価を紹介しています。「スターリンはマーシャル将軍を称賛して、中国問題に決着をつけられる人間はマーシャル以外にはないと言った。スターリンは正確にはこう言ったかもしれない。自分が満足できるようにと」。

では、どのようにマーシャルは中国問題に決着をつけたのでしょうか。前掲『共産中国はアメリカがつくった―G・マーシャルの背信外交』に驚くべき事実が明かされています。

## アメリカの過剰な中国共産党擁護

第二次世界大戦中、蔣介石軍の軍事顧問団長として中国に派遣されていたジョセフ・スティルウェルという軍人がいました。マーシャル参謀総長による任命です。スティルウェルは、共産党こそは中国に民主主義をもたらす勢力であると称賛する一方、蔣介石はアメリカの援助を共産党との戦いに使おうとしている、と批判していました。スティルウェルは蔣介石の信頼を失い、1944年に解任され、後任としてアルバート・ウェデマイヤー将軍が中国に派遣されました。

ウェデマイヤー将軍は、アメリカからの支援武器がほとんど蔣介石軍に渡っていないことをつきとめ、共産党との紛争解決のために国民党支援を強化するよう本国に要請します。これについてマッカーシーはとても興味深い解説を行っています。「アジアの兵力を集結して太平洋や極東の米軍をたたくためにも中国は戦争をやめるべきだという日本の申し出に抗い、無視しろ、戦争を続けろと蔣介石に言ったのは私たちだ。蔣介石には大きな借りがある」。つまり、蔣介石に日本との戦争を続けるように勧めたのはアメリカだったことを認めています。

ウェデマイヤーは終戦後、直ちに帰国します。蔣介石に対して報告書を提出しているのですが、そこには「中国駐留アメリカ軍の早期撤退に圧力がかかっているとトルーマン大統領が述べた」と記されていました。アメリカ軍が中国から引きあげることは、毛沢東と対峙している蔣介石にとっては痛手です。マーシャルの対処方針は、米国務省と国防総省（統合参謀本部）が決めた中国政策に基づいていました。

その政策とは、「蔣介石が共産党征伐を進めることがあれば、支援を打ち切るだけに留まらず、中国に対して統一政府の樹立つまり蔣介石政府に共産党を加えることを要請する」というものです。蔣介石政府にとっては死刑宣告です。つまりアメリカの中国政策とは、ルーズベルト大統領時代から一貫して変わらず、中国に共産党政権をつくることでした。

マーシャルこそは、共産党政権、中華人民共和国の生みの親なのです。なお、ウェデマイヤーは回想録（『第二次大戦に勝者なし』妹尾作太男訳　講談社学術文庫）において、マーシャルの蔣介石切り捨てについて、マーシャルは第二次世界大戦の戦争指揮の激務に疲れ切っていたため、中国に来た時には正常な判断ができない状態にあったと、マーシャルを擁護しています。マーシャルに引き立てられたエリート将軍としては、ここまでしか書けなかったのでしょう。

ではなぜアメリカは、中国に共産党政権を成立させる必要があったのでしょうか。

## 狙いは中国をソ連の支配下に置くこと

アメリカは、中国をソ連の影響下に置くために、中国での共産党政権樹立を必要としました。ソ連をアメリカと対等の強国に仕立て上げるために中国をソ連の衛星国にする、という狙いがあったのです。ソ連をより強国として仕立て、ソ連を中心とする共産主義の脅威を煽って西側諸国の世論を固め、軍拡を推進して軍産複合体の利益を図ることが当時のアメリカの目論見でした。

アメリカの支援を受けて中国で権力を握ることになったのが毛沢東です。毛沢東は当然アメリカからの援助を期待しますがアメリカはそれに応えません。毛沢東がソ連に援助を求めざるを得なくなるこの状況こそがアメリカの狙いでした。ソ連に中国をコントロールさせ、中国がソ連の衛星国になることで西側の反共世論はさらに強くなります。

アメリカはまた蔣介石を台湾で生き延びさせ、中国に紛争の火種を残しました。分割統治と呼ばれる帝国主義時代の植民地支配の鉄則です。蔣介石に共産中国を牽制させることで、共産中国はアメリカに刃向かうことが困難になります。

アメリカに袖にされた毛沢東は1949年暮れにソ連を訪問し、翌年の中ソ友好同盟相互援助条約締結の交渉を行います。相性が悪いのか、スターリンとの関係はぎこちないものでした。グロムイコは、条約締結の空気を、「前夜の両巨頭の間にはたいして心の通い合いがなかった、というのが翌日の同志たちの意見だった。続く数日間の雰囲気もほぼ同様だった」と、前掲『グロムイコ回想録──ソ連外交秘史』に残しています。

しかし、その後の中国は必ずしもアメリカの意図通りには動きませんでした。中国をソ連の支配下に置くというアメリカの目論見を毛沢東は知っていたのでしょう。朝鮮戦争にこそ義勇兵を送ってソ連に協力していますが、1960年代に始まるベトナム戦争には介入しませんでした。中ソ対立はベトナム戦争を境に激化していくことになります。

# 1950年　朝鮮戦争の開始

**通　説**▼北朝鮮軍が南北統一を目指して南へ侵攻、国連はこれを侵略と認定した。
**歴史の真相**▼朝鮮戦争はアメリカが種を蒔きソ連が協力した戦争だった。

## アチソン演説とスターリンの国連軍賛同

朝鮮戦争は矛盾に満ちた戦争でした。契機となったのは1950年1月12日の、当時トルーマン政権の国務長官だったディーン・アチソンの演説です。アチソンは「アメリカのアジア地域の防衛線に南朝鮮を含めない」と明言しました。

南朝鮮（韓国）が侵略されてもアメリカは関わらない、というメッセージです。意図的な発言でした。北朝鮮に対して韓国侵攻のゴーサインを出した、ということです。

アチソン演説から5カ月後の6月25日、北朝鮮軍は38度線を越え韓国になだれ込みました。国連安保理が加盟国に韓国防衛を勧告するのはその2日後です。金日成軍は南端の釜山まで侵攻します。9月15日にマッカーサーが指揮する国連軍が仁川に上陸、北朝鮮軍を中国国境付近まで押し返します。義勇軍と称した中国の共産党軍が介入するのは10月19日です。戦況は互いに一進一退で、翌年には38度線で膠着《こうちゃく》状態となり、1953年7月に休戦協定が結ばれました。国際連合軍司令部総司令官と、朝鮮人民軍最高司令官および中国人民志願軍司令官との間の協定です。

朝鮮戦争の真相を読み解くための2つのポイントがあります。ひとつめはアチソンの演説です。アメリカは北朝鮮を韓国へ攻め込ませたかったのです。

2つめは、なぜ国連軍を組織できたか、ということです。国連安保理の常任理事国であるソ連が拒否権を発動すれば国連軍の編成はできません。ソ連は国連軍編成に反対しませんでした。安保理審議に欠席したのです。前掲『グロムイコ回想録』にはソ連代表は安保理に出席しないようスターリンが指示をしたことが書かれています。正統派の通説によれば、蔣介石の中華民国が安保理の常任理事国に居座っていることに抗議してソ連は安保理をボイコット中だった、ということですが、これが果たして同盟国・北朝鮮を見捨てる理由になるでしょうか。

アチソン演説での北朝鮮へのゴーサインとスターリンの事実上の国連軍編成賛成から、朝鮮戦争は米ソの結託によるものだったという真相が見えてきます。そして米ソ結託の様子は、朝鮮戦争時のダグラス・マッカーサーの動きを追うことで具体的にわかってきます。

## 北朝鮮軍、中共軍を倒す気などないアメリカ

国連軍の最高司令官となったマッカーサーが進言する作戦はことごとく本国アメリカから却下されました。また、国連軍の作戦情報はアメリカからイギリス、ソ連、インド経由で中共軍と北朝鮮軍に伝えられていたようです。中共軍の侵入経路である鴨緑江に架かる橋の爆破計画も、アメリカ政府はイギリスと協議した結果、マーシャル国防長官からの返答は「満洲国境から8キロの範囲内にある目標の爆破はすべて延期する」というものでした。

マッカーサーは回想録の中で、「ワシントンでは特にイギリスの影響力が非常に強く働いている」という内容を記しています。私たちの理解とは逆に、政治的な力関係で言えば、アメリカよりイギリスの方が上なのです。また、マッカーサーへの対応からわかる通り、アメリカもイギリスも共産勢力を積極的に排除する意図はありませんでした。これは正統派の歴史観、「戦後のアメリカとソ連は互いに相手の優位に立とうと世界規模で覇権

を争った」とはずいぶん違います。

朝鮮戦争はアメリカ、イギリス、ソ連が結託して演出した戦争でした。トルーマン大統領は北朝鮮軍と中共軍を倒す気などないばかりか、故意に負けるような行動をとり続けました。休戦まで3年かかり、3万人以上のアメリカ兵が犠牲になり、しかし南北朝鮮の国境はほとんど変わりませんでした。アメリカ政府の戦争指導に疑問を呈したマッカーサーは1951年に解任されます。マッカーサーの後々任で休戦協定に調印したマーク・ウェイン・クラーク将軍は自著『From the Danube to the Yalu』（1954年）の中で、勝利するために必要な権限も武器も兵員も与えられなかった、眼前でアメリカ軍兵士が中共軍にむざむざと殺されるのを傍観する以外になかったと、マッカーサーと同様の無念さを吐露しています。

朝鮮戦争の目的は何だったのでしょうか。戦争資金を融資した国際銀行家と、武器を売却した軍需産業が利益を得たことは言うまでもありません。朝鮮戦争末期に大統領に就任したアイゼンハワーは8年後の離任演説で、軍産複合体が民主主義にとって脅威であるとアメリカ国民に警告することになります。

## マッカーサーの「日本は自衛戦争」証言

興味深いのは、解任されたマッカーサーが帰国後に米上院軍事外交委員会で証言した内容です。マッカーサーにはアメリカ政府の真意は伝えられていませんでした。つまりマッカーサーはすでに政府の中枢、いわゆるエスタブリッシュメントから外されていました。

1951年5月3日、マッカーサーは「日本が太平洋戦争に突入したのは、大部分は安全保障上の必要によるものだった」と委員会で証言しました。ここを正統派の通説は「朝鮮戦争を戦った結果として朝鮮半島が日本の生命線だったことに気づいたからだ」と解釈しています。そうではないでしょう。生命を賭して戦ったのに祖国に裏切られたマッカーサーは太平洋戦争の真実を隠す必要はないと考え、アメリカの対日戦争の不正義を告発する意図で日本の戦争目的を擁護する発言を行ったと考えられるのです。

太平洋戦争（大東亜戦争）が日本の自衛戦争であることは戦争前からアメリカ首脳にはわかっていました。当時日本はアメリカから、消費量の大半の石油を輸入していました。常識的に考えれば、そんな国と戦争などするはずがありません。しかしアメリカは通商条約を破棄して石油を禁輸します。これは、事実上の宣戦布告です。日本は、自衛のために戦う以外にありませんでした。そしてアメリカは日本が追い詰められてアメリカを攻撃するのを待っていました。アメリカが仕組んだ戦争であって、日本の侵略戦争であるはずがないのです。

1946から48年にかけて行われた東京裁判においてマッカーサーは、「平和に対する罪」で7人の日本人指導者を処刑しています。そのマッカーサーが、日本の戦争は侵略戦争ではなく自衛戦争だったと公式に証言したのです。この歴史的証言を重く受け止め、歴史教科書はマッカーサー発言をきちんと書くべきだと思います。

## 1951年　サンフランシスコ講和条約

**通　説**▼日本は平和条約に調印して独立を回復し国際社会に復帰した。

**歴史の真相**▼アメリカやイギリスは日本と隣国との紛争の種をしっかり蒔いていった。

### 分割統治の鉄則

1951年9月8日、時の総理大臣・吉田茂がサンフランシスコ講和会議において平和条約に調印し日本は独立を回復しました。日本は朝鮮、台湾、南樺太、千島を放棄し、また日米安全保障条約がこの時に締結されています。

現在、日本は北方領土、竹島、尖閣をめぐってロシア、韓国、中国との軋轢《あつれき》に苦労しています。これは、隣国との間に不和の種を仕込んでおいて、日本が英米の意向に逆らうのを牽制する策略です。植民地を人種や言語、宗教などによって争わせて分断し宗主国が支配しやすくすることを「分割統治」と言いますが、英米は独立後の日本に対し「分割統治」方式で日本の行動を縛ったというわけです。以下順に見ていきたいと思います。

## 【北方領土】

日本が占領下にあった1951年、在京のイギリス大使館が本国に「対日平和条約において、日本に千島列島を放棄させるが、この放棄させる千島列島の範囲を曖昧にしておけば、この範囲をめぐって日本とソ連は永遠に争うことになり、これは西側連合国にとって利益となるであろう」と極秘電報で報告していることが、元駐ロシア大使の丹波實氏の著書『日露外交秘話』（中央公論新社　2004年）に紹介されています。情報公開30年ルールにのっとってイギリスの外務省から、この電報の公開の可否について外務省に問い合わせがありました。日本の外務省は不必要な論争を恐れ、「公開不可」としたそうです。

しかしイギリス側は公開しました。丹波實氏は「イギリス外交は恐ろしい」と記しています。しかし、日本のイギリス大使館は公開された電報のコピーをとらなかったようです。後に、丹波氏が親しくしていたロストロポービッチという世界的に著名なロシア人音楽家は、「日本とロシアがいかに西側連合国側に〝引っかけられて〟争っているか、北方領土は日本に返還し、こんな争いはやめるべきだ、とどこかに書きたい」として、この電報のコピーを欲しがったそうです。そこで丹波氏が在英日本大使館に問い合わせたところ、ロンドンのイギリス公文書館には確かに「千島列島の戦略的価値」というファイルは存在するが、ファイル自体は紛失中である、という返事が来たそうです。
私は丹波氏の著書を読み、コピーをとらなかった日本外務省はなんと大きな魚を逃がしてしまったものかと残念な気がしました。

**【竹島】**

日本と連合国との講和条約交渉が大詰めを迎えている頃、韓国政府が、講和条約の条件に竹島の放棄を入れるよう要請しました。アメリカ政府はこの要請を却下しています。竹島は1905年頃より島根県の管轄下にあり、朝鮮によって竹島の領有権の主張がなされた形跡はない、というのがアメリカのラスク国務次官から韓国政府への回答でした。このアメリカの立場は、秘密裏に韓国側に伝えられました。そして1952年、韓国は国際法違反である李承晩ライン（海洋境界線）を設定し、竹島を自国側にとり込んだことから竹島という領土問題が発生したのです。
注意したいのは、韓国から要請があった時、竹島は日本領だとアメリカが公言していれば、韓国はアメリカに従わざるを得なかったでしょう。アメリカはなぜ公表しなかったのでしょうか。日韓両国が竹島の領有権をめぐって紛争し続けることを望んだからです。

親日派で知られる韓国の評論家キム・ワンソプ氏は著書『親日派のための弁明』（荒木和博・荒木信子訳　草思社　２００２年）の中で、「アメリカは日本を再興させてはならないという意志を持って、韓国において強力な反日洗脳教育を行うと同時に、産業面においては韓国を、日本を牽制するために基地として育てました。その結果、韓国にＩＴ産業、造船、鉄鋼、半導体など日本をコピーしたこんにちの産業構造がつくられたといえます。そしてこうしたことの背景には、有色人種を分割した後に征服するという『ディバイド・アンド・コンカー（divide and conquer）』の戦略があったと思われます」と述べています。要するに、アメリカは日韓を「分割統治」するために反日教育などを強行したと指摘しているのです。

竹島問題を考える上でも、歴史認識問題や経済をはじめさまざまな分野での日韓関係を見る上でも、このようなアメリカの意図を十分に認識しておく必要があります。

## 【尖閣諸島】

尖閣諸島は日米安全保障条約の適用範囲であるということは、長く、日米間の共通認識です。国務長官以下、問われれば決まってそれは公言しますが、尖閣諸島の帰属問題についてアメリカはコメントしません。日本の領有権の主張については態度を表明しない、というのがアメリカの立場です。

不思議な話です。日本はアメリカの同盟国ですが、中国は大国ではあるものの同盟国ではありません。にもかかわらず日本の領有権を支持しないというのはつまり、竹島のケースと同様、尖閣諸島の領有権をめぐって日中を対立させておきたいからです。

ジミー・カーター政権の国家安全保障問題担当大統領補佐官を務めたズビグニュー・ブレジンスキーが著書『The Grand Chessboard: American Primacy and its Geostrategic Imperatives』（邦題『ブレジンスキーの世界はこう動く―21世紀の地政戦略ゲーム』山岡洋一訳 日本経済新聞社）、『The Choice: Global Domination or Global Leadership』（邦題『孤独な帝国アメリカ―世界の支配者か、リーダーか』堀内一郎訳 朝日新聞社）、『Second Chance: Three Presidents and the Crisis of American Superpower』（邦題『ブッシュが壊したアメリカ―2008年民主党大統領誕生でアメリカは巻き返す』峯村利哉訳 徳間書店）でアメリカの戦略の本音を明かしています。日本と中国に対するアメリカの基本政策は「中国に関与」「日本とは同盟」、そして「安定的な日中関係へ向け調整」です。「調整する」とは、日中関係がアメリカのアジア戦略にとって望ましい事態になるように介入することを意味しています。裏を返せば、日本と中国がアメリカの意図と離れて勝手に行動しないように監視する、と言っているのです。

中国に対しては、尖閣諸島は安保条約の適用範囲であると言うことで「尖閣諸島の帰属問題はアメリカの関与抜きには解決できない」と思わせています。日本に対しては、尖閣の領有権問題は日中間で解決しろと言うことで、日本は中国との関係においてはアメリカの後ろ盾を必要とせざるを得ないように仕向けているのです。

# 1954年　ベトナム戦争開始

**通　説**▼アメリカはベトナム人民を殺戮し、その威信を低下させた。

**歴史の真相**▼アメリカは故意に戦争を長引かせた。

## ベトナム戦争のそもそも

まずベトナム戦争が起こる経緯を見ておきましょう。19世紀フランスのアジア進出がことの発端です。1887年、清仏戦争に勝ったフランスはインドシナをフランス領としました。ベトナムはその一部でした。フランスは第二次世界大戦中の1940年にドイツに降伏、弱体化した仏領インドシナには日本軍が進駐します。

1941年、共産主義者で独立指導者のホー・チ・ミンがベトナム独立同盟会いわゆるベトミンを結成して本格的に独立運動を開始します。共産主義ですからソ連が支援しました。1945年に日本が降伏してベトナムが無政府状態になったところでベトミンが全土を掌握し、皇帝を退位させてハノイで独立宣言を発表、ベトナム民主共和国が建国されました。

しかし旧宗主国であるフランスはベトナム民主共和国を承認せず、インドシナに再び介入し、南ベトナム共和国という傀儡国家を建設します。南北に分断されたベトナムの統一をテーマとして北ベトナムとフランスとの間に1946年、第一次インドシナ戦争が起こります。フランスはこの戦争に敗北しました。1954年、ジュネーブ協定が締結されてフランスはインドシナから出ていきます。

アメリカはジュネーブ協定には参加せず、フランスに代わってベトナムに乗り込みます。ベトナムは南ベトナムと北ベトナムに完全に分断され、冷戦構造そのものの米ソ代理戦争となり、1960年には南ベトナム解放民族戦線（ベトコン）結成、1965年にトンキン湾事件という北ベトナムによる対米艦船魚雷発射疑惑事件が起こったのをきっかけにアメリカが北爆を開始して大量動員体制に入り、ベトナム戦争は全面戦争へと拡大します。

宣戦布告があって始まった戦争ではありません。ベトナム戦争の開始年については、アメリカの介入を招くことになったジュネーブ協定締結時の1954年、ベトコン結成時の1960年、アメリカが北爆を開始した1965年などの諸説がありますが、問題はケネディ大統領はベトナムから手を引くことを考えていたことです。しかし、ケネディは1963年11月に暗殺され、大統領を引き継いだジョンソンによってアメリカは本格的にベトナム戦争にのめり込んでゆくことになりました。北爆を開始したのはジョンソン大統領であり、最盛時には50万人のアメリカ兵がベトナムに送り込まれました。それにもかかわらず、アメリカは勝てなかったのです。それはなぜでしょうか。

## アメリカのソ連への援助

アメリカがベトナムから完全撤退するのは1973年です。その後1975年にベトナムを統一することになる北ベトナム共産主義政権は、軍事力・経済力とあらゆる点でアメリカに勝てる要素はありませんでした。しかし結果はアメリカの敗北です。

1960～70年代、日本もそうでしたが、世界中に反戦運動が起こりました。しかし、反戦運動のためにアメリカが敗北したわけではありません。アメリカは、勝てる戦争をあえて勝ちませんでした。いたずらに戦争を長引かせた、と言った方が正しいでしょう。

ベトナム戦争が最も激しさを増した1966年、アメリカは敵・北ベトナムの後ろ盾であるソ連への大々的な経済援助を開始します。ソ連をはじめとする東欧諸国に貿易の最恵国待遇を与えるという、時のジョンソン大統領の声明です。アメリカがソ連などに300億ドルを融資し、ソ連などはこの資金を使ってアメリカから「非戦略物資」を輸入するというプランでした。「非戦略物資」の範囲はゆるく、石油、航空機部品、レーダー、コンピュータ、トラック車両など常識的に考えて戦略物資に入るものもOKでした。

つまり、アメリカはソ連に金を貸し、ソ連はその金でアメリカから戦争物資を買うのです。ソ連は、アメリカから買った戦争物資を北ベトナムへ送ります。北ベトナムはこれらの物資をアメリカによって破壊された施設や武器の修復に使い、ベトコンの武装強化に使いました。アメリカは自国の兵を殺傷するために敵側に資金を提供していたようなものです。

前掲『グロムイコ回想録』の、「1966年のソ連共産党大会において、ソ連及び他の社会主義国はベトナムに必要な支援をすると宣言したが、これはもっと真剣に受け止められても良いものだった」という内容のグロムイコの回想は意味深長です。この時に世界がからくりに気がついていれば、その後のさまざまな茶番的な戦争は避けられたかもしれません。

ジョンソン政権末期からキッシンジャーが北ベトナムとの和平交渉に絡み、1973

年、ニクソン政権下で和平合意が成立します。その間の1972年、ニクソンが訪中してアメリカは中国と和解します。中国との和解はベトナム戦争終結に必要でした。中国とソ連は中ソ対立という状態にありました。中国がベトナム戦争に介入しなかった理由も中ソ対立にあります。

## ■スターリンの激怒

ベトナム戦争には当初、朝鮮戦争と同様、中国を巻き込んで戦争を拡大しようという狙いもあったと言われています。しかし結果的に中国は介入しませんでした。私は、中国は米ソの意図を見抜いていたのではないかと思っています。前掲『キッシンジャー「最高機密」会話録』に収録されている、先に紹介したキッシンジャーと毛沢東のナチスドイツの戦法をめぐる会話を見る限り、毛沢東は常に世界政治の背景には何か目に見えない勢力が介在していると疑っていたのではないでしょうか。

ベトナム戦争を機に先鋭化する中ソ対立の知られざる遠因が、前掲『グロムイコ回想録—ソ連外交秘史』から見えてきます。ソ中合弁会社の設立問題です。

1949年の中華人民共和国の樹立まもなく、中国はソ中石油会社とソ中金属会社という両国合弁会社設立をソ連に提案しました。交渉は数回行われましたが、結局、中国側の方針変更で行き詰まります。ソ連側の交渉団長を務めていたグロムイコは、事態の報告を受けたスターリンの様子を「スターリンはこの問題に対する自分の感情を最大限の強い表現で吐露した。その後、契約不履行が続いて起き、中ソ関係全体に及ぼす影響はたいしたことはなかったものの、ソ連指導部にとって後味の悪いものになった」などと書いています。中国側の契約不履行が重なって結局この合弁プロジェクトは失敗することになったようです。

　スターリンが、たかだか新興の中国との合弁会社設立問題くらいで激怒することは通常では考えられません。プロジェクトには何か隠された秘密があったのです。この秘密の次第はスターリンがまもなく亡くなったため、「ソ中関係全体に及ぼす影響はたいしたことはなかった」とグロムイコが言及していることからすると、合弁会社がスターリンの個人的なプロジェクトだったことが示唆されています。そしてこの「石油」と「金《ゴールド》」のプロジェクトにはスターリンの政治生命がかかっていたのではないか、だからこそ失敗に対する激怒だったと考えられるのです。

　スターリンはその後まもなく1953年に死去しますが、暗殺されたという説は根強くあります。グロムイコもまたほのめかしています。このソ中合弁会社の失敗が暗殺につながったひとつの原因という推理はそれほど的はずれなことではないと思います。だからこそ、合弁会社の失敗はソ連首脳部にとって「後味の悪い」ものだったのです。

個人的なプロジェクトとは、スターリンが個人的に利益を得るプロジェクト、という意味ではありません。ソ連の国家体制でそれはまず不可能です。ソ連の外にいる何者かと約束した、あるいは強要されたプロジェクトではなかったかと考えられます。

その何者かとは誰でしょうか。石油や金を独占支配しようとしていた英米の勢力です。現在、石油はロックフェラー財閥が、金はロスチャイルド財閥がそれぞれ圧倒的な支配権をもって事業展開を行っています。グロムイコは、スターリン暗殺に秘められた真相をほのめかす目的を持ってソ中合弁会社の失敗を回想録に残したのだ、と私は考えています。

## アメリカ政府は必ずしもアメリカ人の政府ではない

ベトナム戦争はまた、アメリカに麻薬が蔓延する契機ともなりました。毛沢東は雲南省でのケシ栽培を認め、アヘンをベトナムに流して米兵士の戦意を喪失させました。中国にとってのベトナム戦争はアヘン戦争（1840～42年）の意趣返しの側面を持ちます。

アメリカを巨大な麻薬市場にしたベトナム戦争とは、アメリカにとっていったい何だったのでしょうか。ベトナム戦争後、アメリカ国内は分裂します。帰還兵は英雄ではなく、アメリカの名誉を傷つけた忌むべき存在のようにアメリカ社会の一部で扱われます。経済は停滞し、治安は乱れました。ベトナム戦争はアメリカの社会に荒廃をもたらしただけでしたが、利益を得た人々は確かにいました。300億ドルもの「非戦略物資」をソ連に輸出できた企業がそれにあたります。

ベトナム戦争は、アメリカという国家を疲弊させるためにベトナム人ゲリラとアメリカ軍が利用された戦争です。なぜ、アメリカ政府が自らの国家を壊すような真似をするのかについては、理解し難いところがあるでしょう。しかし、今までも述べてきたように、「アメリカ政府は必ずしもアメリカ人の政府ではない」のです。

欧米の政府はしばしば、国家意識のない国際主義者に支配されます。彼らは大統領になるわけでも首相になるわけでもなく、政府を背後からコントロールするだけです。そして彼らの意図を実践する部隊として、大統領などの側近に息のかかった人間を送り込みます。

アメリカの大統領は自ら政策を立てるわけではありません。これら側近たちがおぜん立てしてくれるのです。

たとえば、長くロックフェラー家の当主を務めたデビッド・ロックフェラーは『回顧録』の中で、「私は国際主義者であり、世界中の仲間たちとともに、より統合的でグローバルな政治経済構造、つまりひとつの世界を構築しようと努めてきた」と述べています。

ここでお気づきのように、トランプ氏が第45代大統領であった時代に「アメリカはアメリカ人によって統治される」と宣言したのには、歴史的な意味があったのです。トランプ氏はそれまでのアメリカ政府がアメリカ人の政府ではなかった、つまりアメリカ国民の利益を第一に考える政府ではなかったと強調したのです。

## 1962年　キューバ危機

**通　説**▼米のキューバへの内政不干渉と交換にソ連がミサイル基地を撤去した。
**歴史の真相**▼ソ連の実力が過大に評価されていたことが露呈した。

## 行使してはいけない本来の実力

1961年に第35代米大統領に就任したジョン・F・ケネディは、アメリカの本来の力を発揮しようと努めた稀有な大統領でした。1962年に起きたキューバ危機への対処を見ると、それがよくわかります。

ソ連がアメリカの目と鼻の先のキューバにミサイル基地を建設しました。ケネディ大統領は海軍を使いキューバ封鎖に踏み切ります。封鎖とはキューバの港や海岸への交通の一切を遮断することです。

アメリカの実力行使に対してソ連のニキータ・フルシチョフ首相は、ミサイルを積んだソ連船を海上封鎖線の手前で引き返させました。米ソの直接対決はこれで回避されましたが、正統派の歴史解釈は真実を伝えません。

国際金融勢力によって作り上げられた東西冷戦構造には、基本的な欠陥がありました。それは、アメリカと対峙するソ連はアメリカに匹敵する実力を有していないということです。従って、冷戦体制を維持するためには、ソ連の劣勢を明らかにしてはいけないので す。そのためには、アメリカは本来の実力を行使してはいけない、つまりソ連を叩きつぶしてはいけないのです。ところが、アメリカが本気で実力行使をしたため、ソ連の虚勢がばれてしまったのです。これがキューバ危機の本質的な意味です。

ケネディ大統領はアメリカの軍事力を正面から振り上げ、示威しました。そこでフルシチョフは譲歩せざるを得ませんでした。キューバ危機の顛末《てんまつ》の本質は、それまでソ連の実力が過大に評価されていたことが世界中に暴露されてしまった、ということです。

## "ある特定の民族"の人々

ケネディ大統領はキューバ危機後、ソ連との関係改善に乗り出します。しかしこれはつまり、国際金融勢力が構築した冷戦構造を崩壊させようとするものでした。

『グロムイコ回顧録』によれば、1963年11月のケネディ暗殺の2カ月ほど前、グロムイコソ連外相がケネディの招きでホワイトハウスのバルコニーで2人だけで話す機会を持ったそうです。アメリカ国内には、米ソが緊密な関係になるのを喜ばない2つのグループがある、とケネディは切り出しました。

ケネディの言う2つのグループとは、まず、イデオロギー的な見地から関係改善に反対する人々です。つまり、どこの国にも見られる反共勢力のことです。もうひとつのグループとは、〝ある特定の民族〟の人々で、彼らはいかなる時でもソ連がアラブ人を擁護しており、イスラエルの敵であると信じて疑わないグループです。このグループは、両国の関係改善の努力を困難にするための効果的な手段を持ち合わせている、と言うのです。グロムイコ自身が〝ある特定の民族〟とはユダヤ・ロビーを指すと注意書きしています。

グロムイコはケネディ暗殺の報に接した時、「自分でも理由がわからないのだが、ホワイトハウスのバルコニーでの2人の会談を思い出した」と回想しています。ケネディを暗殺したのはユダヤ・ロビーではないか、とグロムイコは考えていたのです。ケネディが指摘した米ソ関係改善を阻止する「効果的手段」の中に、暗殺が含まれていたのだと暗示しているようにも受けとれます。

# 1973年　第四次中東戦争と石油危機

**通　説**▼イスラエルを支援する諸国に対してアラブ産油国が原油禁輸などの措置をとった。

**歴史の真相**▼米大統領補佐官ヘンリー・キッシンジャーが石油価格高騰などのシナリオを書いた。

## キッシンジャーの幼稚な判断ミスの理由

中東戦争とは、パレスチナをめぐるアラブ諸国とイスラエルとの間の衝突を指す総称です。１９７３年の石油危機（オイルショック）の発端となったのは第四次中東戦争です。同年10月に、エジプト軍がシナイ半島、シリア軍がゴラン高原において一斉にイスラエル軍に攻撃を行ったことで開始されました。

キッシンジャーはニクソン政権の国家安全保障問題担当大統領補佐官でした。私はキッシンジャーの回想録『Years of Upheaval』（邦題『キッシンジャー激動の時代（1～3）』読売新聞調査研究本部訳　小学館）を読んで彼の策略に気がつきました。キッシンジャーは自画自賛の多い人物ですが、唯一とも言える失敗談として、石油危機の口実となった第四次中東戦争を引き起こしたエジプトとシリアのイスラエル攻撃を予測できなかったことを挙げています。キッシンジャーのような情報のプロとしては初歩的なミスで、とても奇妙に聞こえます。

キッシンジャーは次のように情報判断を誤ったと反省しています。「ソ連軍人の家族がエジプト、シリアからの退避をはじめたことを、イスラエルからの両国への攻撃が迫っているからだとみなしてしまった」「しかし、イスラエルの攻撃を想定したのなら、ソ連としては、イスラエルに自制するよう圧力をかけることをアメリカに依頼すればいいだけのはずである」「エジプト、シリアがイスラエルに攻撃を仕掛けるのを知っていたからソ連は軍人家族を退避させたのだ」。これを見逃したと言うのです。

あまりにも幼稚な判断ミスです。こんなことを書き留めておくから、何かが隠されているのではないかという疑惑を生むことにもなります。現在では、エジプトとシリアにイスラエルを攻撃させてイスラエルがパレスチナを占領していることを口実にOPEC（アラブ産油国を中心とする石油輸出国機構）が石油禁輸や価格のつり上げを断行するというシナリオはキッシンジャーが書いたものだ、という説が有力になっています。

石油価格は一挙に6倍に暴騰しました。アメリカなどの石油財閥やその背後にいる金融資本家が大儲けしたことは当然です。コスト高にあえいでいたローヤルダッチシェルなどの北海油田は、原油価格の暴騰のおかげで採算がとれるようになりました。

イランのパーレヴィ国王はＯＰＥＣの会議で、４００パーセントの原油値上げを強力に要求しました。その理由をサウジアラビアのヤマニ石油相に尋ねられ、「キッシンジャーに聞け」と答えたとされています。石油危機で誰が得をしたかを考えてみれば、国際金融勢力の代理人であるキッシンジャーがシナリオを書いたことは頷《うなず》けます。このことをアメリカの経済学者で長年にわたりＦＲＢ議長を務めたアラン・グリーンスパンが事実上認めています。

なお、第五章で詳しく解説しますが、２０２３年10月7日のユダヤ教安息日に発生したイスラエル・ハマス戦争について、「ハマスの対イスラエルテロ」の見出しの下で取り上げています。今回の戦争は、第四次中東戦争の意義と密接に関連しています。歴史の繰り返しに注意して読んで下さい。

## 石油危機をアメリカが必要とした理由

グリーンスパンが回想録『波乱の時代』（上下巻　山岡洋一・高遠裕子訳　日本経済新聞出版社）の中で、アメリカが石油危機を演出する必要があった理由について触れています。アメリカは産油国です。かつて自国原油生産量が世界の半分以上を占めていました。持っていた原油価格決定力を失ったのは1971年だと言います。「突如として価格決定の中心は移った。最初は中東の大規模産油国に、最終的にはグローバル化した市場の力に」と、グリーンスパンは書いています。

アメリカには、失った原油価格決定力をとり戻す手を打つ必要がありました。そして最終的に移された「グローバル化した市場の力」こそ、ウォール街やロンドン・シティの金融資本家の力そのものでしょう。石油危機を通じて誰も抑えることのできない原油価格決定権を最終的に獲得したのは国際金融勢力なのです。

## 1989年　ベルリンの壁崩壊

**通　説**▼ソ連は内部矛盾で崩壊、冷戦体制終焉を象徴する出来事だった。

**歴史の真相**▼ソ連は存在する必要がなくなったために使い捨てられた。

### 解体させられたソ連

アメリカという国家を疲弊させるためのベトナム戦争を経て、アメリカはほぼ、国際主義者たちの思い通りに国家意識が希薄化しました。つまりこれは、ソ連の存在理由がなくなったということを意味します。ここにソ連の解体への道が始まります。

1979年、ソ連のアフガニスタン侵攻がありました。翌年はモスクワ・オリンピックが開催されましたが、アメリカや日本をはじめ多くの西側諸国が参加をボイコットしました。

1981年、アメリカにロナルド・レーガン政権が誕生します。新自由主義が台頭してきた時期こそ、このレーガン大統領の時代でした。ソ連が衰退を始めるのはこの頃です。

1985年、ミハイル・ゴルバチョフがソ連の共産党書記長に就任し、ペレストロイカ（改革）とグラスノスチ（情報公開）を開始します。改革と情報公開の2つの政策によってソ連は内部から崩壊を始めます。アメリカは原油価格を下落させ、石油輸出収入に頼るソ連の解体を早めました。

1986年、チェルノブイリ原発事故が起こります。事故を隠蔽《いんぺい》したため多くの人命が失われ、ソ連当局への非難が共産主義体制そのものへの非難へと転化しました。

そして1989年、東ドイツの出国制限緩和の発表をきっかけとしてベルリンの壁に市民が集まり、壁を砕きました。その映像は世界にリアルタイムで放送されました。

最大の疑問は、アメリカと世界を二分する程の大国だったソ連がなぜ、ゴルバチョフが出現してわずか6年後の1991年、ほとんど混乱のないまま崩壊してしまったのかということです。

## ■ソ連の解体を早めたゴルバチョフ

混乱らしい混乱が起きなかったのは、内部矛盾などではなく外部の力によって解体させられたからではないか、というのが私の見方です。何か統一された意思が背後で働いていたように感じます。

石油価格などは、石油市場を支配している勢力がいかようにでも操作できます。ソ連を崩壊させるために価格を暴落させることは可能です。チェルノブイリの原発事故に、謀略的な要素があったかどうかはわかりませんが、人為的な事故だったことは確かです。ペレストロイカとグラスノスチは共産主義システムを否定するような自殺的な政策でしたが、流血の混乱もなく体制が移行しています。

1991年8月にいわゆる共産党守旧派によるクーデターが勃発しました。クリミアで休暇中だったゴルバチョフを監禁して辞任を強要しましたが、結局解放されてエリツィンが用意した飛行機でモスクワに帰還しました。しかし、この時点でゴルバチョフは権力を事実上失い、エリツィン主導でソ連邦の崩壊、各共和国の独立へとつながりました。

素朴な疑問は、中央計画経済のソ連体制が行き詰まっていたとはいえ、なぜゴルバチョフは体制否定につながるペレストロイカとグラスノスチを急激に敢行したのでしょうか。常識的に考えれば、ゴルバチョフには共産主義体制を崩壊させても構わないとの底意があったと見られます。ゴルバチョフの改革路線を米、英、西独など西側諸国は支持しますが、背後に何かあると見るのが自然でしょう。次章で詳しく見ることにします。

# 第三章 ネオコンという金融マフィアの暗躍【1990年〜2015年】

# 学校教育で教わる歴史概説　１９９０年～２０１５年

冷戦は終結し、東欧社会主義国家の消滅およびソ連の解体の結果、資本主義の優位が強調される時代を迎える。アメリカ合衆国の軍事的覇権が維持されたまま、貿易や金融・情報の自由化を目指す「グローバリゼーション」の動きが強まった。

グローバリゼーションのもとで、情報通信革命が進展し、多元的なネットワークが構築された。それにより、２００８年の金融危機のように、一国の危機が直ちに地球的規模の危機に波及する脅威も増大した。

グローバリゼーションはまた、人の動きのグローバル化も推進する。人の移動の世界的な活発化は、先進諸国では移民に職を奪われた長期失業者の増加など新たな貧困層を生み出すことになった。一部の移民排斥運動もすでに始まっていた。

工業化の波は中国やインドなどの発展途上国と言われてきた国にも拡大した。新たな経済大国の出現である。唯一の超大国となったアメリカも、その力だけで地球世界の統一基準つまりグローバル化を設定できるわけではなく、ヨーロッパ諸国や日本といった競合地域に加えて、経済大国となった中国やインドの新たな挑戦を受けることとなる。一方、アジアやアフリカの最貧国の状況は改善されないままとなった。

また、地域統合の強化が叫ばれるようになった。ヨーロッパ共同体（EC）はヨーロッパ連合（EU）へと成長して共通通貨ユーロを発行する。EUはまた、東南アジア諸国連合（ASEAN）、アジア太平洋経済協力会議（APEC）、北米自由貿易協定（NAFTA）などとの経済協力を深めた。各種の国際機関や国境を超えた非政府組織（NGO）の活動が活発化するのも時期を同じくしている。

国家間紛争は確かに減少した。しかし、それに反比例するかのように、中東やアフリカでの地域内紛争や国際的テロ活動が増加した。2001年9月11日にアメリカ合衆国で発生した同時多発テロ事件はそれを象徴する出来事だった。21世紀に入り、さまざまな分野でグローバリゼーションが進行していくことは避けられないだけに、国際連合などの国際機関で諸国間の利害を調整し平和的に紛争を解決していく努力が必要となった。

地球温暖化の防止などの地球環境の保護もまた叫ばれ始めた。その保護においては一国単位ではなく、地球規模の国際協力が求められているが、先進国と途上国の意見の対立も表面化することとなった。各国政府、国際機関、NGOなどさまざまな主体による多角的な協力関係の構築が求められる時代である。

# 1990～91年　ソ連崩壊

**通　説**▼独立国家共同体の成立によりソ連は存在意義を喪失した。
**歴史の真相**▼国際主義者がゴルバチョフ、エリツィンを支援しソ連を解体した。

## 敵国ソ連を必要としなくなったアメリカ

１９９１年8月、連邦維持を主張する保守派のクーデターはあったものの失敗し、ウクライナやアゼルバイジャンなどほとんどの共和国が連邦から離脱、ソ連共産党も解散します。同年12月、ボリス・エリツィンを大統領（7月に就任）とするロシア連邦つまり旧ソ連のロシア共和国を中心に、ウクライナやベラルーシなどの11の共和国が独立国家共同体（CIS）を結成したことでソ連は解体、ということになりました。

崩壊の前年、１９９０年3月にミハイル・ゴルバチョフが、ソ連で最初で最後の大統領に就任しています。最初で最後というのは、その前月に共産党が一党独裁を放棄したからで、「ソ連の大統領」は歴史上ゴルバチョフただ一人です。

ゴルバチョフは偶然出てきたわけではありません。退陣後、ゴルバチョフはソ連崩壊の直後に、ゴルバチョフ財団と呼ばれる国際社会経済・政治研究基金をつくりました。「世界統一政府をつくろう」と呼びかけて活動しています。ソ連のような独裁国のトップだった人物が、自らの意志だけでNGO活動をすることは通常あり得ません。世界統一を目指す国際金融勢力がゴルバチョフを支援していたことは間違いないでしょう。

エリツィン時代、アメリカなどの金融資本家たちは念願の天然資源の利権を手に入れました。一方アメリカでは、新自由主義者たちが政権を牛耳っていました。新自由主義とは、資本主義のもとでの自由競争を徹底的に重視する考え方のことです。新自由主義者は政府の民間への介入に強く反対します。この新自由主義によって格差社会が生まれ、金融勢力にとってはますます国民からの搾取がしやすい状況となりました。

つまり、新自由主義の下で世界を統一するためには、ソ連という敵国が必要なくなりました。ソ連崩壊とは、用済みになったソ連を解体して新自由主義の国に移行させることでした。ゴルバチョフの使命は、この移行をスムーズに進める土壌を整備することにあったと考えられます。

## 新生ロシアに乗り込んだアメリカの新自由主義者

ソ連崩壊後のロシアに、アメリカの新自由主義者が乗り込みました。ハーバード大学の経済学教授ジェフリー・サックスをヘッドとする市場民営化チームです。

このチームが実践したのが「ショック療法」です。強権的に市場経済原理を導入しました。その結果、ロシアの物価は「市場価格」を反映して急激に高騰し、インフレ率80倍のハイパー・インフレーションになりました。ロシア国民はパンなど生活基本物資さえ購入が困難になりました。日本でも支援運動が起こりましたが、カップラーメンを送ったのはいいが湯を沸かすガスが不足していて食べられないなどという、笑うに笑えない事態も起こりました。

ロシア政府は国家財政立て直しのためにＩＭＦ（国際通貨基金）の支援を仰がざるを得ませんでした。ＩＭＦの処方箋は、民営化請負国際金融機関と揶揄《やゆ》したくなるほど民営化一本やりです。ロシアの、共産主義経済から市場経済への移行という実験場はＩＭＦにとって、まさしく腕の見せどころでした。しかし、結果的に、ショック療法とＩＭＦの民営化処方箋は大失敗に終わります。

もうひとつの大失敗があります。国営企業の民営化を実現するための「バウチャー方式」と呼ばれる政策です。バウチャーとは一種の「民営化証券」のことで、これを集めて企業立ち上げの資金にするか、あるいはバウチャーで民間企業の株を買え、という政策です。

共産主義社会に生きてきたロシアの人々には民営化の意味を理解できませんでした。結局一部の人間がバウチャー方式の不備を悪用して、無知な所有者から安値でバウチャーを買い集め企業を立ち上げます。ロシアの民間企業や銀行はこうして育っていきました。

バウチャー方式を活用して生まれたロシアの民間銀行家たちは、財政赤字に悩む政府に対して融資を申し出ます。政府に融資することこそ、大金融資本家を生むメカニズムです。ロシア政府は2つ返事で融資を受け入れますが、その担保としてとられたのが天然資源の国営企業でした。ロシア政府は借りた金を返せません。こうしてロシアの石油や鉱物資源などが民間銀行家の所有となっていったのです。

## エリツィン大統領は国内不人気・欧米大人気

政府に金を貸し、国営企業を手に入れた銀行家たちは、新興財閥としてロシアの経済社会のさまざまな分野を支配することになります。この新興財閥が「オルガルヒ」です。ロシア政治の実質的な支配者です。

かつては民主化の旗手として名声をほしいままにしたエリツィン大統領は、オルガルヒの言うがままになりました。国民の反発を買い、支持率はなんと0・5パーセントまで落ち込みました。

ロシア国民からは見放されましたが、エリツィン大統領の欧米での人気には根強いものがありました。あたりまえです。ロシア経済とりわけ天然資源国有企業の民営化を実現して、欧米がロシアの天然資源を奪取する道を開いたからです。

天然資源を掌握するロシアの民間財閥はできあがりました。次のステップは、欧米資本とロシア資本の合弁や合併、提携です。このような状況の中でエリツィンを引き継いで2000年にロシアの大統領となり、この流れを押し止めたのがウラジーミル・プーチンだった、というわけです。

## 一党独裁が残った中国

ソ連は解体されました。では、同じ共産主義国でありながら、なぜ中国には共産党一党独裁体制が残されたのでしょうか。

１９８０年代頃から「改革開放」による社会主義型市場経済化を目指してきた中国ですが、ロシアとの最大の違いは天然資源がなかったことです。中国にあったのは、膨大な量の安価な労働力でした。国際金融勢力はこの労働力に目をつけたのです。

アメリカ企業が先鞭をつけ、日本、ヨーロッパなどの企業もアメリカに従い中国に進出して工場を建て、中国人の低賃金労働者を使役しました。中国はあっという間に「世界の工場」と呼ばれるようになりました。日本では大企業だけでなく中小企業までもが低賃金労働力を求めて中国へなびきました。その結果として日本の製造業は空洞化し、デフレ経済に突入します。いわゆる「失われた20年」は中国の低賃金の労働が元凶です。

労働者を効率よく管理すること、また工場用地を迅速に用意して整備すること、工場廃液などによる環境汚染を社会問題化しないことなど、スムーズに工場を稼働させるには、民営化経済体制よりも中国共産党の独裁体制が役に立ったのです。ロシアには民営化路線をとらせましたが、中国には共産党政権を残した理由がおわかりいただけたと思います。

## 1991年　湾岸戦争

**通　説**▼イラクのクウェート侵攻に対して多国籍軍が派遣された。

**歴史の真相**▼湾岸戦争は世界のワン・ワールド化の機会とされた。

### 世界の戦争に関与するネオコンの意図

まず、ネオコンとは何かということを説明しておきましょう。1960年代にアメリカで勢力を伸ばし始めたのが「ネオコン＝ネオコンサバティズム」です。日本では「新保守主義」と訳されます。

ネオコンもまた、国際金融資本家の流れをくむ一派です。ネオコンの元祖の一人とされるノーマン・ポドレッツという政治学者は「ネオコンは、もともと左翼でリベラルな人々が保守に鞍替《くらが》えしたから〝ネオ〟なのだ」と言っています。しかし、この説明は正しくありません。保守に鞍替えしたのではなく、新保守を自称しているだけです。新保守を名乗ることによって、正体を隠していると言えます。ネオコンの正体を知る一例として、アメリカの高名なジャーナリストと言われているウォルター・リップマンを取り上げます。

彼もネオコンの一人でした。実は、リップマンはウィルソン大統領の側近として活躍した頃（1910年代後半）は社会主義者でしたが、後にリベラリストになり晩年はネオコンになったのです。あたかも、左翼から右翼へ遍歴したように見えますが、そうではなくて社会主義者もリベラリストもネオコンも共通項は国際主義なのです。つまり、ネオコンの本質は国際主義であり、社会主義（共産主義）と同じイデオロギーを信奉しているのです。このようなリップマンの思想的遍歴は、以下に見るように、ネオコンの歴史と重なります。

ネオコンのもともとの思想は「社会主義を広げて世界から国境をなくし、ワン・ワールドにすること」、つまり「世界統一政府の樹立」です。1917年のロシア革命を推進したレフ・トロツキーの思想ですが、トロツキーは一国社会主義を唱えるスターリンによって追放され、亡命先のメキシコで暗殺されました。この思想を受け継ぐトロツキストたちは第二次世界大戦の後、アメリカ社会党の民主党への統合を主導しながら「社会主義」の看板を下ろして「自由と民主主義」に付け替えます。そして自らを〝進歩主義者〟と称してリベラリズムの概念を発信し始めました。

戦後、「ワン・ワールドこそ正義だ」とするグローバリズム拡散の中心的拠点となっていたのが「プロレタリアのハーバード」と呼ばれていたニューヨーク市立大学シティ・カレッジです。ハーバードをはじめとするアイビー・リーグの私立大学がユダヤ系アメリカ人や有色人種にとって排他的な入試を実施していたのに対し、ニューヨーク市立大学は広く門戸を開いていました。

ブルックリンのユダヤ系の若者の多くがニューヨーク市立大学に進学し、コロンビア大学で学び、社会学者や政治学者、法律学者、文芸評論家、そしてマスコミ人など社会の中核に進出していきました。いわゆる「ニューヨーク知識人」の誕生です。知識人の代名詞がリベラリストであったわけです。

進歩主義者からニューヨーク知識人（リベラリスト）にレッテルを貼り替えた人々はアメリカ社会の隅々に浸透し、その中でも民主党左派系のタカ派が1960年頃から「ネオコン」と呼ばれるようになっていきました。その後、ケネディ大統領のソ連に対する融和政策に反発して、共和党に鞍替えしたのです。

ネオコンの進出が特に目立ったのが、アメリカの軍事と外交です。ネオコンは「自由民主主義は人類普遍の価値観である」とのスローガンの下で国際干渉主義外交を推進し、ジョンソン政権以降、世界の戦争に次々と関与していくことになります。

## 新世界秩序の樹立宣言

ネオコンの「戦争への関与」戦略は東西冷戦終了後も受け継がれました。その手始めになったのが、1991年1月17日にアメリカを中心とする多国籍軍がイラクを空爆した「湾岸戦争」です。

湾岸戦争は国際金融勢力の世界戦略が公言された戦争とも言えます。当時の米大統領はパパ・ブッシュです。ブッシュ大統領は、イラク軍のクウェート侵攻の直後に議会で演説して、国連の下での国際協力による新世界秩序が生まれようとしていると述べましたが、この世界新秩序こそ世界のワン・ワールド化のことを意味しています。引き続きブッシュ大統領は1991年の年頭教書演説において、湾岸戦争は新世界秩序という長く待たれた約束を果たすための機会を提供したと明言しました。「長く待たれた新世界秩序」との言及ぶりに、国際金融勢力のワン・ワールド構想がいよいよ実現に向かって動き出したとの高揚感を感じます。さらに、

「問題はクウェートという小国にあるのではなく、危機に瀕しているのは新しい世界秩序

である」

「全世界でアメリカのみが高いモラルを持ち、それを実現に移せるだけの力を備えているのだ」と高らかに宣言しました。

ブッシュ大統領は、湾岸戦争の目的が第二・第三のフセインの出現を防ぐことにあることを明らかにしました。つまり、新世界秩序の実現のために、関与するのは戦争ばかりでなく、他国の政治体制にもアメリカは積極的に関与する、ということです。後に述べますが、「東欧カラー革命」や「アラブの春」を予言する演説でした。

ところで、湾岸戦争もアメリカがイラクのフセイン大統領にクウェート侵攻の餌を撒《ま》いた戦争でした。当時のイラクは長年にわたるイランとの戦争の結果、戦費などの融資をクウェートに頼っていました。しかし、クウェートとの間で石油利権や融資の返済などをめぐり軋轢が生じ、クウェートとの国境沿いにイラク軍が集結する事態となっていました。この時イラクに駐在するグラスピー・アメリカ大使はフセイン大統領に対し、アメリカはイラクとクウェートの国境問題には関心が無いと伝達しました。この会談のすぐ後にイラクがクウェートに侵攻して占領し、多国籍軍の軍事攻撃に至るのです。

## 1994年　金日成の核合意

**通　説**▼北朝鮮の非核化を目指す六カ国協議の枠組みが導入された。
**歴史の真相**▼ネオコンは北朝鮮が核を持つのをあえて黙認し続けた。

### 強い態度を見せなかったアメリカ

1987年から1992年にかけて2つのソ連型の原子炉を稼働させたことをもって北朝鮮の核開発が現実的に開始された、とされています。時のビル・クリントン米大統領は、国連安保理に北朝鮮制裁決議を出すとともに、5万人の米軍兵力と400機の戦闘機を韓国に送り込む計画に着手しましたが、なぜかその動きは途中で止まりました。

そして1994年6月、ジミー・カーター元大統領らが平壌を訪問し、金日成主席と会談しました。北朝鮮が原子炉を止める見返りとして、核兵器用のプルトニウムを抽出できない軽水炉を西側につくってもらうという和解案、いわゆる「金日成の核合意」がまとめられました。日本は軽水炉建設費用など、金だけ出させられました。

北朝鮮は核開発をしないと約束したにもかかわらず、その後も裏で核開発を続けました。2009年には朝鮮中央通信が核実験を行い成功したと堂々と公表、2013年に1回、2016年には2回、2017年に1回核実験を実施し、公表しています。

しかし、ジョージ・W・ブッシュもバラク・オバマも北朝鮮に対して何ら強い態度を示しませんでした。なぜでしょうか。東西冷戦後からオバマまでの歴代大統領を支えてきた国際金融資本家たちの支配下にあるネオコンが、北朝鮮が核を持つことをあえて黙認していたからだとしか考えられません。

こうした話はすぐに「陰謀論」だとして片づけられがちです。あまりにも現実を見ない、メディアの報道に洗脳されている人たちによくある反応です。アメリカが本当に北の核を脅威だと感じたのであれば、「約束違反」だとして、直ちに圧倒的な軍事力をもって北朝鮮を叩いていたはずです。

## ワン・ワールド樹立のためのシナリオ

2003年、イラクのフセイン大統領は、実際に核兵器など保有していなかったにもかかわらずCIA（中央情報局）の偽情報に基づくアメリカの軍事攻撃を受けて失脚しました。イラクの核兵器がアメリカにとってどれほどの脅威であったかは検証される必要がありますが、イラクに対する態度と北朝鮮に対する態度の相違はどこから来たのでしょうか。

北朝鮮の核保有を黙認したアメリカの狙いは、朝鮮半島の緊張を高め、東アジアに混乱を起こすトラブルメーカーとして北朝鮮を使っていこうという点にあります。ワン・ワールド樹立の前には、世界を大混乱に巻き込む必要があると彼らは考えています。その一環として東アジアで混乱を起こしたい時には、北朝鮮を利用するというシナリオです。この北朝鮮シナリオはオバマ大統領までは存在していました。政権中枢の中には、「アメリカは北朝鮮の核は認める」「ただしアメリカに届くICBM（大陸間弾道ミサイル）の開発は断念させる。それで手を打てばいい」と公言する者が少なからず存在します。特に、アメリカのメディアは、これでアメリカの安全保障は担保されるとして、北朝鮮の核保有を認める報道を繰り返しています。

このシナリオの通りになれば、東アジアは狙い通りに大混乱に陥りますが、そこにこそ国際金融資本家たちのつけ入る隙が生じるのです。いかにもネオコンらしい発想ですが、2016年の米大統領選でもしもヒラリー・クリントンが勝っていたら、シナリオ通りになる可能性が高かったと思います。

後ほど詳しく論じますが、ここで大統領にドナルド・トランプが就任したことによって、ネオコンのシナリオは変更を余儀なくされました。トランプ氏はアメリカの実力を背景にして、「核放棄」か「対米戦争」のどちらかを選べと金正恩に迫りました。それに対して2018年6月、金正恩は膝を折って米朝首脳会談に応じざるを得なくなったわけです。

## 2000年　プーチンの大統領就任

**通　説**▼プーチンは資源輸出などによる経済成長を実現した。
**歴史の真相**▼プーチンはユダヤ系成金財閥の欧米との結託を阻止しようとした。

### 新興財閥によるプーチンへの挑戦

エリツィンが辞任して大統領代行に任命されたウラジーミル・プーチンは2000年5月の選挙で当選し、正式に大統領に就任しました。当時、ロシアには政治経済の実権を握っていた7つの財閥がありました。これらの財閥を率いる7人とは、ボリス・ベレゾフスキー（石油大手のシブネフチ、ロシア公共テレビORTなど）、ウラジーミル・グシンスキー（持株会社のメディア・モスト、民放最大手NTV）、ロマン・アブラモビッチ（シブネフチを共同所有）、ミハイル・ホドルコフスキー（メナテップ銀行、石油大手のユーコス）、ピョートル・アヴェン（民間商業銀行最大手アルファ銀行頭取）、ミハイル・フリードマン（アルファ銀行創設者）、ウラジーミル・ポターニン（持株会社のインターロス・グループ、鉱物大手のノリリスク・ニッケル）です。ポターニンを除いてすべてユダヤ系です。

ベレゾフスキーはエリツィンの後継として当初からプーチンに白羽の矢を立てていました。プーチンの支持政党「統一」を設立したほどです。プーチンを、エリツィンと同じようにコントロールできる人間だと考えていたのです。

ところがプーチンは中央集権的な権力を強化し、権力の分散を防ぐことで、外部からの政治への介入の道を閉ざしました。ベレゾフスキーはプーチンを操ることができず、その後イギリスに亡命し、2013年に自殺体となって発見されます。

グシンスキーは早くからプーチンと対決していました。主要なメディアを配下に置いていたグシンスキーはメディアを駆使してプーチン批判を続けましたが、大統領就任直後に横領詐欺などの罪状で逮捕され、いったん釈放後、スペインに亡命しました。グシンスキーの逮捕は欧米および国内でも反発を呼びました。ロシアにおける言論の自由問題を象徴する出来事だったからです。

グシンスキーを否定するものではありませんが、私は、本当に言論の自由を重要とするならば、資金力にものを言わせて多くのメディアを支配下に置くことはいかがなものかと思います。メディアの独占は言論の自由を危うくします。グシンスキーには、メディアを通じて政権に影響を及ぼそうという狙いがあったことは間違いないでしょう。

## アメリカにロシアの国富を譲り渡す財閥

ベレゾフスキーとグシンスキーの追放以降、新興財閥による政治介入は収まったかのように見えました。アブラモビッチなどはその後、イングランド・サッカーの名門チェルシーを所有するなどサッカーに夢中でした。

そうした中、最後までプーチンに抵抗したのがミハイル・ホドルコフスキーでした。プーチンとホドルコフスキーの対決は２００３年に決戦を迎えます。

プーチンは石油大手ユーコスの社長だったホドルコフスキーを脱税容疑で逮捕しました。ホドルコフスキーはシベリアの刑務所に服役し、ソチ冬季オリンピックの前年の２０１３年に恩赦され、スイスで亡命生活を送っています。

実際に脱税していたのですが、プーチンの本意は、ホドルコフスキーがプーチンに挑戦し始めたことにあります。ホドルコフスキーはプーチンの反対政党を支援したり、自らの大統領選出馬を公言したりするようになりました。財閥が政治に挑戦するような挑発行為をプーチンは決して許さないということです。

加えて、ユダヤ系のホドルコフスキーは当然、欧米のユダヤ系指導者たちと密接な関係にありました。その一人がイギリスのジェイコブ・ロスチャイルド卿です。ホドルコフスキーはロスチャイルド卿と組んで「オープン・ロシア財団」をロンドンに設立しました。

財団の目的は欧米へのロシア市場の開放です。ロシア民族主義者たるプーチンへの露骨な挑発です。ホドルコフスキーはまた、アメリカにも事務所を開設し、ユダヤ人のキッシンジャーを理事に招聘《しょうへい》しました。ホドルコフスキーは国際的ユダヤ人脈を意図的に活用したのです。

プーチンに最終的に逮捕を決断させたのは、ホドルコフスキーが所有する石油会社ユーコスとアメリカ石油メジャーとの提携問題だったと私は思います。ユーコスはシブネフチと合併して世界有数の石油会社となった後で、アメリカ石油メジャーのシェブロンやエクソンモービルに40パーセントに及ぶ株を売却する交渉を続けていました。

この動きはプーチンにとって、ロシア国家の富をアメリカ資本に譲り渡す行為と映ったはずです。プーチンはホドルコフスキー逮捕をもって富の流出を阻止したのです。

## 本当の意味で対立する危険をはらんだ新冷戦

「新冷戦」という言葉があります。新たな米露の冷戦、ということです。世界の主要メディアの解釈によれば、2007年2月のミュンヘン安保会議におけるプーチン大統領のアメリカ非難スピーチをもって新冷戦の開始とするのが一般的です。「アメリカの一方的な行動は問題を解決しておらず、人道的な悲劇や緊張をもたらしている」という内容の演説です。しかしすでに、実際には2003年のホドルコフスキー逮捕投獄で新冷戦は始まっていました。

かつての東西冷戦は米ソが裏で手を結んでいた八百長の冷戦でした。しかし2003年を境に、米露は本当の意味での冷戦に入りました。本当の意味での、というのは、かつて米ソ冷戦構造を作り上げ、米ソを背後から操っていた勢力が、ロシアから排除されたため、米露が正面から対峙する事態になったという意味です。つまり、熱戦に発展する危険をはらんでいるのです。２０１４年に表面化したウクライナ危機も、米露新冷戦を象徴する事件のひとつでした。

## 2001年　アメリカ同時多発テロ

**通　説**▼湾岸戦争後、イスラム急進派の中で高まった強い反米感情が原因である。

**歴史の真相**▼世界的に対テロ戦争を遂行するために、アメリカがシナリオを描いた可能性が高い。

### 対テロ宣戦布告に呼応して広がるテロ

正統派の歴史解説によれば、2001年9月11日、アメリカの複数の旅客機が乗っとられ、ニューヨークの貿易センタービルとワシントンの国防総省ビルに突入する同時多発テロ事件が起こった、とされています。その後、アメリカが同時多発テロの首謀者ウサーマ・ビン・ラディンを匿《かくま》っているとしてアフガニスタンに対して軍事行動を起こし、タリバン政権を打倒したのが「対テロ戦争」と呼ばれる戦争です。

しかし、このテロが本当にイスラム原理組織アルカイダのウサーマ・ビン・ラディンによって起こされたものかについては現在に至るも論争が続いています。世界のインテリジエンス界においては、9・11のような大規模なテロを起こすためには、どこかの情報機関の関与がない限り不可能だとの点で見解は一致しています。

アルカイダの起源は1980年代に遡ります。アメリカ中央情報局（CIA）とパキスタン軍統合情報局（ISI）、サウジアラビア総合情報庁（GIP）が育てた組織です。つまり、アルカイダをつくったのはアメリカです。

目的は、ソ連対策です。1979年、アフガニスタンで起きた内戦にソ連が介入し、ソ連軍が占領支配しました。ソ連占領軍と戦うため、CIAがイスラム義勇兵を集めて訓練・育成しました。そのひとつがアルカイダで、アメリカは多額の活動資金および大量の武器を供給して、ソ連軍と戦わせました。

1989年にソ連軍がアフガニスタンから撤退したため、アメリカにとってアルカイダなどのイスラム過激派組織は利用価値がなくなりました。彼らはあっさりと切り捨てられました。その結果としてアルカイダは国際テロ組織に変貌し、「反アメリカ」を叫ぶようになります。

9・11の同時多発テロを受けてブッシュ大統領は「テロとの戦い」を宣言します。これは、「アメリカは相手をテロ組織と断定することにより、いつでもどこでも戦争することを可能とする」という意味です。アメリカのこの対テロ宣戦布告のおかげで、「テロとの戦い」は大義名分となり誰も反対できない免罪符を得ることになりました。この後、世界各地で「テロとの戦い」が展開することになりました。

実は、「テロとの戦い」の理論的根拠となったのは、アメリカのネオコン勢力が打ち出した「アメリカ国防力の再建」と題するレポートだったのです。このレポートは、ポール・ウオルホビッツ（ジョンズ・ホプキンズ大学）、ロバート・ケイガン（カーネギー国際平和財団）、ウィリアム・クリストル（ウィークリ・スタンダード誌）、エリオット・コーエン（ジョンズ・ホプキンズ大学）など錚々《そうそう》たるネオコンの論客が執筆したものです。このレポートは2000年11月に大統領に当選したブッシュ・ジュニアの軍事戦略になりました。

アメリカが21世紀も引き続き世界の軍事大国の地位を維持するためには、「新たな真珠湾」のような事件が必要だと記されていたのです。日本軍による真珠湾攻撃は、アメリカが仕組んだものだとの歴史解釈が近年世界の常識になりつつありますが、真珠湾云々《うんぬん》にはアメリカの謀略を窺わせるニュアンスが含まれています。

## ISISを本気で叩かないアメリカ

混乱が続いていたイラクに、ISIS（イラクとシリアのイスラム国）というテロ組織が突如として出現します。この組織のリーダーは1971年生まれのアブー・バクル・アル＝バグダーディーと言いますが、カリフを自称し、2014年6月に国家樹立を宣言しました。

国家を名乗ってはいますが、元をたどればアルカイダ系過激派の流れをくむイスラム・スンニ派の一団です。目指しているのは〝カリフ制の再興〟で、英仏の植民地支配下で勝手に引かれた国境線を本来の姿に戻すことを目的としている、と言われています。

ISISは、フセイン政権崩壊後のイラクにアメリカの後ろ盾で成立したシーア派のヌーリー・マーリキー政権に対してジハード（聖戦）を宣言しました。イラクの混乱はさらにひどくなる一方となります。ISISはシリアにも急激に勢力を伸ばします。

2014年8月、アメリカはISISの拠点に対して空爆を開始しました。1年間ほどの間に3000回の空爆です。ただし、本気でISISを叩こうとしているとは思えないいい加減なものでした。その証拠に、2015年9月末に、親露・反米のシリア・アサド大統領を支援するロシアが空爆を開始するやいなやＩＳＩＳはたちまち壊滅状態へと追い込まれていったのです。

アメリカはロシア以上の軍事力、特に空軍力を持つ国です。それがなぜＩＳＩＳを本気で叩こうとしなかったのか、その理由は明らかです。シリアの混乱を長引かせたかったからです。シリアに対するアメリカの戦略については、後ほど改めて述べることにします。

## 2003〜06年　東欧カラー革命

**通　説**▼独裁者とされている指導者が辞任あるいは打倒された。

**歴史の真相**▼アメリカが演出して親米政権を成立させていった。

### 新冷戦におけるアメリカの反撃

米露の「新冷戦」は、ロシア大統領プーチンが、アメリカ石油メジャーと提携しようと画策していたホドルコフスキーを逮捕投獄した2003年に始まります。これに対しアメリカは、ロシアのお膝元である旧ソ連諸国を親米政権化していくことで反撃に出ます。

まず、2003年11月にジョージア（グルジア）の「バラ革命」が起こります。大統領のエドゥアルド・シュワルナッゼは当初親米路線をとっていましたがロシアの圧力で親露に変更しつつありました。アメリカの法律事務所出身であるミハイル・サーカシビリがシュワルナッゼの対抗馬として議会選挙が行われました。

結果はシュワルナッゼの与党「新ジョージア（グルジア）」が1位、サーカシビリの「国民運動」が2位でしたが、選挙に不正があったとして野党勢力のデモが発生します。デモ隊は暴徒化して、その結果シュワルナッゼは辞任、サーカシビリが大統領に就任しました。これが「バラ革命」と呼ばれるものですが、アメリカによって演出された革命でした。

前線で活躍したのはジョージ・ソロスというユダヤ人投資家です。ソロスは、旧ソ連圏諸国の民主化および市場経済化を支援する「オープン・ソサエティ」というNGOを立ち上げ、人材の育成や資金援助を行っていました。ソロスはジョージア（グルジア）に支部を設立して、市場経済化を目指すジョージア（グルジア）NGOを育成しました。反政府デモの正体はこのNGOです。

選挙結果は不正であるという情報はどこから出たものでしょうか。選挙監視にあたったアメリカの調査会社が投票所の出口調査からサーカシビリ陣営の勝利を発表したことに基づきます。正規の選挙管理委員会の発表はシュワルナッゼ陣営の勝利でした。アメリカの調査会社はデマを流したのです。

## すべて同パターンのカラー革命

以降のカラー革命は、すべてこのパターンで展開され、アメリカは親米政権を成立させていきました。

2004年にはウクライナで「オレンジ革命」が起こりました。11月に行われた大統領選挙は親露派のヤヌコビッチ首相と欧米が支援するユーシチェンコ元首相との争いになり、決選投票でヤヌコビッチ候補が勝ちました。そこへ選挙は不正であるとして、ユーシチェンコ派のデモが起こります。バラ革命と同じパターンです。オレンジデモの背後にはアメリカのNGOや欧州安全保障協力機構（OSCE）などの支援が窺えました。デモは膨れ上がって親欧米派のオレンジ色の旗にウクライナ全土が占領された感がありました。

結局、再選挙が行われることになり、ユーシチェンコ候補が勝ちました。アメリカの思惑通りならば選挙は正常、というわけです。

次に標的になったのは、2005年2月、3月のキルギスの議会選挙です。アカエフ大統領の与党が圧勝しましたが、選挙は不正であるとして野党陣営がデモを起こします。アカエフ大統領はロシアへ逃亡して、キルギスの「チューリップ革命」は成就しました。このような一連のカラー革命の発生に対抗して、プーチン大統領はアメリカとの対決姿勢を強めます。

## プーチンの反撃

プーチン大統領は反撃に出ます。2005年5月にウズベキスタン東部のアンディジャン市で、カリモフ大統領の辞任を求める大規模な反政府運動が起こりました。カリモフは武力で弾圧します。アメリカは民主派勢力弾圧を非難し、国際調査団の受け入れを要求しますがカリモフはこれを拒否しました。ロシアがカリモフを支持し、革命は失敗しました。アメリカは、2001年のアフガニスタン戦争以来ウズベキスタンに駐留していた軍隊を引きあげなければならなくなりました。

翌2006年、ベラルーシの大統領選挙戦で圧勝した現職アレキサンドル・ルカシェンコに対して野党陣営が不正選挙を訴えてデモを行いましたが、資金不足に陥って国民の支持を得られずまもなく沈静化しました。これに対してアメリカやEUはベラルーシに制裁を科しましたが、実際的な効果はまったくありませんでした。

ロシアは2006年に「NGO規制法」を制定して、ロシアのNGOへの外国資金流入への規制を強化します。NGO活動の自由の制限ですから、欧米だけでなくロシア国内の欧米派（多くはユダヤ系ロシア人）によるプーチン攻撃の格好の材料になりました。2012年にプーチンが大統領に再選された時も選挙に不正があったとしてデモが行われましたが進展はありませんでした。「NGO規制法」はアメリカが主導するカラー革命の事前防止を目的としたものでした。

## 2011年　アラブの春

**通　説**▼中東・北アフリカ地域の各国で民主化運動が本格化した。
**歴史の真相**▼世俗政権を打倒し、イスラム過激派を台頭させることが狙いだった。

### 「テロとの戦い」の名の下にアメリカが介入

2010年から11年にかけてチュニジアで反政府運動が起こりました。ザイン・アル＝アービディーン・ベン＝アリー大統領がサウジアラビアに亡命し、23年間続いていた政権が崩壊します。チュニジアを代表する花がジャスミンであったことからこの革命は「ジャスミン革命」と呼ばれています。

ジャスミン革命の影響はまたたくまにアラブ諸国に広がりました。「アラブの春（Arab Spring）」とは、それら一連の動きに対してアメリカのメディアが名付けたものです。「アラブに自由と民主主義が実現する」と煽り立てましたが、アラブ諸国はかえって混乱の度合いを深めただけでした。

2011年1月、エジプトで大規模な反政府抗議運動が発生し、30年にわたって続いていたホスニー・ムバーラク大統領の長期政権が崩壊しました。ヨルダンでも反政府運動が盛り上がり、2月、サミール・リファーイー内閣が総辞職しました。

バーレーンでは、首都マナーマの真珠広場で行われた反政府集会を、政府が動員した治安部隊が強制排除する事態になりました。死者が出た騒乱です。

カダフィ大佐による独裁体制が敷かれていたリビアでも、カダフィの退陣を要求するデモが発生しました。軍はデモ参加者を実力で排除し、多数の犠牲者が出ました。リビアは内戦状態となります。

リビア内戦にはNATOも軍事介入しました。8月に首都トリポリが陥落し、42年間続いたカダフィ政権は崩壊しました。

これら一連のアラブ諸国の革命や騒乱、内戦にはすべてアメリカが介入しています。介入の根拠になったのが2001年に起きた同時多発テロに伴ってブッシュ大統領が宣言した「テロとの戦い」でした。

結局のところ、アラブの春とは、まともな世俗政権を民主化運動の名の下に打倒して無法状態をつくりだし、イスラム過激派テロ集団を台頭させることが目的でした。チュニジアでは、日本人観光客が過激派テロの犠牲になりました。エジプトでは、ムスリム同胞団が政権を握り、テロが横行しました。リビアはカダフィの下で享受していた生活の安定を崩され、各種イスラム過激派が跋扈《ばっこ》する無法国家となり果てました。「アラブの春」のターゲットであったシリアは現在に至るも血みどろの内戦が続いており、多数の難民がEUに押し掛けたことは、私たちの記憶に新しいところです。

## 2014年　ウクライナ危機

**通　説**▼ウクライナ反政府デモはウクライナの民主主義者たちが始めた。
**歴史の真相**▼ウクライナ反政府デモはプーチン追い落としのためアメリカが主導した。

### アメリカがシナリオを描いたヤヌコビッチ政権の崩壊

2013年末、経済が低迷していたウクライナ国内で反政府デモが発生しました。親露派政権と親欧米派勢力の対立が激化し、親欧米派による暴力的なデモが続く中、翌2014年2月22日にヴィクトル・ヤヌコビッチ政権が崩壊し、ヤヌコビッチはロシアに逃亡、ウクライナ暫定政権の首相にアルセニー・ヤツェニュークが就任します。

それに対してロシア系住民が6割を占めるクリミア（ウクライナ領内の自治共和国）では、デモ隊が地方政府庁舎や議会、空港を占拠し、クリミア議会は親露派のセルゲイ・アクショーノフを新首相に任命しました。3月11日には自治共和国議会およびロシア海軍基地のあるセバストポリ市議会はクリミア独立宣言を採択した上で同月16日に住民投票を実施、ロシアへの編入を賛成多数で決めてクリミア共和国として独立を宣言します。プーチン大統領はクリミアの意向を受け入れ、ロシア編入を発表しました。

このロシアによるクリミア編入に対し、アメリカが猛反発します。「親露派自警団の監視下で行われた住民投票は民主的でなく国際法違反である」と非難してロシアに対する経済制裁に踏み切ります。しかし、アメリカは、そもそもヤヌコビッチを引きずり下ろした2013年末に端を発するデモがクーデターに匹敵する暴力的なものだったことにはまったく言及しませんでした。なぜならウクライナの反政府デモを主導したのはアメリカだったからです。

ウクライナ危機はアメリカの描いたシナリオによって進められました。決定的な証拠があります。

まだ反政府デモとヤヌコビッチ政権側の対応が一進一退を繰り返していた2014年1月28日の、アメリカのヌーランド国務次官補とパイエト駐ウクライナ・アメリカ大使との電話会談の内容が動画サイト・ユーチューブで暴露されました。アメリカは、まだヤヌコビッチ大統領が権力の座にある段階で、ヤヌコビッチ政権崩壊後の新政権人事の協議をしていたのです。2人は暫定政権の首相にヤツェニュークをあてようと話し合い、事実その通りになりました。アメリカがシナリオを描いた何よりの証拠です。

付言すれば、ヌーランド国務次官補が反ヤヌコビッチのデモ隊にクッキーを配りながら一緒にデモをしている映像が世界のメディアで流されていました。ヌーランド次官補はネオコンであり、夫はネオコンの論客であるロバート・ケイガンです。彼女の行動は、反政府デモをネオコンが演出したことを如実に証明するものです。

## 21世紀の「ロシア革命」

ウクライナの憲法は、「大統領を交代させるには議会における弾劾裁判が必要だ」と定めています。つまり、暫定政権は、たとえヤヌコビッチ大統領が逃亡したとはいえ、違憲状態の中で成立した政権だったわけですが、アメリカはその点について一切触れようとしません。ウクライナ危機と呼ばれる一連のデモ騒動は、決して民主化運動ではなく、プーチン追い落としを狙っている国際金融資本家の実戦部隊であるネオコンが関与したクーデターであると考えられます。

そもそもウクライナで激化した反政府デモを煽ったのは欧米メディアでした。当時ヤヌコビッチは、まさに親欧米派が求めているEUとの連合協定に署名するべく努力を続けていました。それに対して、むしろEUの方が数々の条件を出し、服役中であったヤヌコビッチの政敵のティモシェンコ前首相の釈放を要求するなど、署名のハードルを高めていたのです。

欧米のメディアはそうした事実を一切伝えることなく、「ヤヌコビッチが協定署名を拒否したことがデモの原因だった」と一方的に報じ続けました。欧米メディアにとってヤヌコビッチを徹底して追及するメリットが特にあるとは思えません。すでに述べたオレンジ革命の狙いがプーチンの対米姿勢に対する反発であったのと同様、彼らの真のターゲットはプーチン大統領なのです。

欧米メディアが流した「親露派ヤヌコビッチ＝悪」という構図は、ロシア、すなわち「プーチン大統領＝悪」という構図に重なります。ウクライナ暫定政権の狙いは、ロシア系住民をウクライナから駆逐することでした。そのため多くのロシア系住民が虐殺されたのです。クリミアのロシア併合はロシア人大虐殺の惨事を未然に防ぐ目的があったと考えられます。ウクライナ東部はロシア系住民が3割程度住む地でしたが、一部親露派がウクライナからの独立を宣言して内戦は継続しました。内戦の実態は、親露派、ウクライナ政府側双方とも傭兵による戦闘です。ロシア政府とウクライナ政府がどれだけ傭兵をコントロールできていたのか、疑問なしとしません。だからこそ、過去幾多の政府間の停戦合意にもかかわらず、戦闘が終結することはありませんでした。

以上に見たように、ウクライナ危機の本質はプーチンの抹殺でした。ロシア愛国者のプーチン大統領を失脚させてロシアをグローバル市場に組み込むことがウクライナ危機の隠された目的です。この真相を隠すためにウクライナをめぐって大掛かりな偽装作戦が行われていたというわけです。世界に、プーチンを失脚させるためにウクライナを犠牲にしたと知られては都合が悪いからです。

グローバル市場化勢力つまりアメリカの衣を着た国際金融勢力は、ネオコンという実戦部隊を使ってウクライナ危機を口実に再びロシアを勢力下に置こうと企《たくら》んでいました。その意味から、ウクライナ危機は21世紀の「ロシア革命」を狙ったものということも可能です。

## 2015年　パリ同時多発テロ事件

**通　説**▼イスラム教徒に対する恐怖心や警戒心を一層抱かせることになった。

**歴史の真相**▼「イスラム教徒は残忍だ」という印象を持たせるための、ネオコンによる偽旗作戦だった。

### 社会の分断を目的としたイスラム教徒への憎悪の扇動

2015年11月13日にフランスのパリで発生した同時多発テロは、死者130名、負傷者300名以上が出る大惨事となりました。その後も欧米ばかりでなく、バングラデシュやインドネシア、フィリピンなどでもテロが発生し、日本人も犠牲になっています。

こうした事件を知るたびに、多くの人がイスラム教徒に対する恐怖心や警戒心を抱くのは仕方のないことかもしれません。しかし、私たちがより注意しなければいけないのは、ネオコンたちがひそかに進める「偽旗作戦」です。

ネオコンたちは「イスラム教徒は残忍だ」という偽の旗を掲げて人々の洗脳にかかります。反イスラムの機運を高め、イスラム教徒への憎悪を煽り、社会を分断することが目的です。

戦争や紛争を起こすことで過激派の力を伸長させ、国の秩序を破壊し、国民を分断して無法状態をつくりだそうというのです。ＩＳＩＳは国家を無法化する役割を担っていると言うことができるでしょう。無法化国家が林立するようになればワン・ワールド樹立まではあと一歩です。なぜなら、人間には無秩序よりも独裁政権による安定の方がまだましだという心理が存在するからです。アメリカがＩＳＩＳを支援してきた理由は、まさにこの点にあるのです。

## アメリカがつくったＩＳＩＳ

２０１１年にリビアで内戦が始まり、10月にカダフィ大佐が暗殺されました。その混乱の中でＩＳＩＳが台頭していきます。

カダフィ暗殺後、アメリカはそれまでリビアの反体制派に供与していた武器を回収し、シリアの〝反アサド勢力〟に横流ししました。しかし、実態はというと反アサド勢力の中のＩＳＩＳにアメリカ製武器が流れていったのです。

この秘密の任務にあたったのがアメリカのクリストファー・スティーブンス大使です。2012年9月11日、リビア東部ベンガジにあるアメリカ領事館がテロリストに襲撃されましたが、その時に死亡しています。ベンガジ事件の真相は明らかにされていませんが、命が狙われるほど危険な任務だったことは間違いありません。

ところで、スティーブンス大使にアメリカの武器回収作戦を命じたのが、ヒラリー・クリントン国務長官でした。ヒラリー女史はこの事件が原因で体調不良に陥り、国務長官を辞任しました。ところが、この重要な作戦の指示がヒラリーの私用メールを使って行われたため、世に言う「ベンガジ事件」となったのです。ヒラリーはなぜ国務省の公電を使わなかったのでしょうか。ＩＳＩＳへの武器横流しという記録に残っては都合が悪い内容が含まれていたからです。

2015年6月にはアメリカ上院議員のランド・ポールが、ＣＮＮとＮＢＣテレビで

「米政府はアサド政権打倒のためＩＳＩＳに武器を供給してきた」と述べました。イギリスのガーディアン紙は「ＣＩＡがヨルダンの秘密基地でＩＳＩＳを訓練している」と報じました。

ＩＳＩＳの主要拠点となっていたイラク北部のシンシャールがクルド人治安部隊に奪還された際、地下壕《ごう》からアメリカ製爆弾の箱が発見されています。

２０１４年10月には、アメリカ軍のヘリコプターが、反アサドでＩＳＩＳとも戦っているシリアの反政府勢力に供与するはずの武器や軍事物資を、〝誤って〟ＩＳＩＳの支配地域に投下するという事件が起きました。米軍機がＩＳＩＳ支配地域に軍事物資を空輸していたという目撃情報も多数上がっています。ＩＳＩＳを空爆するはずの米軍機が〝誤って〟アサド政権の拠点を攻撃するという事態もたびたび起こっていました。

つまり、アメリカはＩＳＩＳを育ててきたのです。ＩＳＩＳがなぜ膨大な資金が必要な大規模な戦闘行為を続けることができたのかの答えがここにあります。アメリカはシリアの内戦に堂々と介入する口実にＩＳＩＳを使いました。超過激なＩＳＩＳは人類の敵だからアメリカはＩＳＩＳと戦うという名分です。ところが、実際にシリアで行っていたことは、ＩＳＩＳへの攻撃ではなく、支援だったのです。

ネオコンは、アサド政権もＩＳＩＳもアルカイダ系のヌスラ戦線などの反アサド勢力もお互いに戦わせてシリアを荒廃させ、無政府状態にすることを狙っていました。

かつてレーニンに率いられたロシアのボルシェビキは暴力によって政権を奪取し、政権維持のために無差別テロによって国民を弾圧しました。

ＩＳＩＳの戦術は共産主義暴力革命の21世紀版とも言えるでしょう。もともと共産主義永久革命を訴えたトロツキーの思想を受け継ぐネオコンが、ＩＳＩＳを生み育てたというのも頷ける話です。

# 第四章 自国ファーストの逆襲【2016年〜2019年】

# 学校教育で教わる歴史概説　2016年〜2019年

　2016年はフロリダ銃乱射事件、ブリュッセル爆発、アタテュルク国際空港襲撃事件、仏ニーステロ事件など、欧米を中心に各国でISISによるテロが引き続き起こった。シリア内戦は長引き、中東情勢をめぐる複数国の対立、一帯一路政策を進める中国による南沙諸島の人工島開発、北朝鮮核問題など、国際的な緊張が高まる。一方ではキューバの雪解けをはじめ、一部では国家間の和解の動きも見られた。

　各国で移民流入やTPP（環太平洋連携協定）など自由貿易に反発する反グローバリズム、自国第一主義が横行し始める。イギリスのEUからの離脱問題や、アメリカでのドナルド・トランプ大統領の誕生などが反グローバリズムを象徴する出来事として注目された。

　イギリスのテリーザ・メイ首相、台湾の民主進歩党の蔡英文総統などの女性リーダー、フィリピンのロドリゴ・ドゥテルテ大統領などの新リーダーの当選が各国で見られた。パナマ文書、バハマ文書などの内部文書の公開により、多国籍の政財界人がタックス・ヘイヴンを通じて不透明な金融取引を行っていたことが判明した。一方、ミュージシャンのボブ・ディランがノーベル文学賞を受賞したことなどが話題を呼ぶ。

２０１７年以降、トランプ大統領の動きが注目されることとなる。同年4月には中国・習近平国家主席との米中首脳会談が開催され、時を同じくして、アサド政権がシリア国内で化学兵器を使用したと断定、その対抗措置として、化学兵器が貯蔵されていたとされるシリア空軍基地に対してトマホーク巡航ミサイル59発による攻撃を行った。6月には地球温暖化対策の国際枠組み「パリ協定」からのアメリカの離脱を正式表明している。

イラク政府軍が、ＩＳＩＳが最大拠点としてきた北部モスル中心部のヌーリ・モスクを奪還したと発表、イラクのアバーディ首相は「ＩＳＩＳによる偽りの国家は終わった」と宣言した。9月には、北朝鮮の核実験を受けて、国連安保理は北朝鮮に対する6度目の制裁決議を全会一致で採択した。

２０１８年もトランプ大統領の動向に注目が集まる。6月、北朝鮮の金正恩委員長がシンガポールにて首脳会談を行い、北朝鮮の非核化と体制保障を含む合意文書に署名。11月に行われたアメリカ合衆国中間選挙では与党共和党が上院の過半数を維持した。

## ２０１６年　米大統領選でトランプ勝利

**通　説**▼トランプ大統領の「アメリカ・ファースト」は大衆迎合主義であった。

**歴史の真相**▼「アメリカ・ファースト」とは政治を影の支配者の手からピープルに取り戻すことだった。

### 米大統領選挙最大の敗北者はメディア

２０１６年11月、トランプ大統領の勝利について、メディアがとまどいや驚愕《きょうがく》を隠せなかったのは、対抗馬の民主党ヒラリー・クリントンが負けるということなど想像もしていなかったからです。アメリカの主要メディアはほぼ一貫してヒラリーの勝利を確信していました。

こうしたメディアの敗因は、どうしてもヒラリーを勝たせる必要があった彼らが、トランプ支持という国民のうねりをあえて見ようとしなかったところにあります。メディアはトランプ氏を徹底的に非難・中傷することでヒラリーの勝利は確定すると楽観していました。

メディアの世論操作を阻止したのがネット情報だったことは言うまでもありません。ネットがトランプ氏の発言の真意、ヒラリーにまつわる疑惑の詳細などを報じました。メディアの情報独占などすでにつぶれていたことに、当のメディアは気づいていませんでした。

決定的だったのは、アメリカの一般人たち（ピープル）が、メディアが上から目線で説教する人種平等、人権尊重、女性の権利、マイノリティ保護などのポリティカル・コレクトネス（少数派の擁護を口実とする多数派に対する言論弾圧）にうんざりしていたことです。ピープルの本音を代弁してくれたのがトランプ氏であり、グローバリズムの幻想をばらまきながら、彼らを一層困難な生活環境に追い詰めてきたアメリカのエスタブリッシュメントが支持したのがヒラリーでした。

## グローバリズムに対する宣戦布告

大統領選挙に勝利したトランプ氏はメディアの執拗《しつよう》な妨害工作を乗り越えて、2017年1月20日に大統領に就任しました。就任式の演説でトランプ大統領は「今この瞬間からアメリカ・ファーストが始まる」と宣言して、次のように語りました。

「世界の国々と友好的で善意に基づく関係を築きますが、すべての国には自国の利益を最優先する権利があります。私たちは自分たちのやり方を他の誰かに押しつけたりはしませんが、輝く模範として見習われる存在になります」

アメリカだけが良ければいいなどとは、トランプ氏は決して言っていませんでした。ところがメディアは、「トランプ氏のアメリカ・ファーストは、世界に対するアメリカの関与を低下させ、醜く不健全なナショナリズムや大衆迎合主義をはびこらせ、世界を不安定にする元凶である」と言って憚《はばか》りませんでした。

トランプ氏の主張のどこがおかしいというのでしょうか。「自国民の幸せを第一に考え、国益を最優先し、自国の安全は自国で守る。その上で各国家同士、自立した国家として友好関係を結べばいい」という主張は、世界最強国家アメリカの大統領の世界観としてはしごくまっとうなものだと言えるでしょう。

私はトランプ氏の言葉の中に、これまでの大統領とは明確に違う道を歩もうとする不退転の意志を感じました。トランプ氏は、歴代の大統領が「グローバリズム」を声高に叫ぶ〝影のキングメーカー＝国際金融資本家〟たちのコントロール下にあったことに対して正面から宣戦布告をしていたのです。

## 内政干渉の正当化理論

トランプ氏は、歴代のアメリカ大統領が国際金融資本家たちの利益を優先し、アメリカ国民の利益を第一に考えてこなかったことを批判しているのでした。過去100年間アメリカが歩んできた歴史は私たちが教科書で習ったような自由と民主主義を体現した理想の国ではありません。国是として、建国の精神や「自由と民主主義」の旗は掲げてはいますが、第二次世界大戦時のルーズベルト大統領の項で見てきたように、アメリカは決して「自由と民主主義」のために戦ってきたのではなく、国際金融勢力の意向に沿って全体主義国家ソ連と同盟し、ヒトラーのドイツや日本を叩いたのです。「自由と民主主義」はアメリカの国際介入政策を正当化する口実に過ぎなかったわけです。アメリカのこの大義名分をメディアが喧伝したため、私たちの目にはアメリカがあたかも自由と民主主義の祖国であるかのように映ったに過ぎなかったのです。

すでに見たように、紛争を自作自演するのも常套手段でした。東西冷戦の終了後も、自らが裏で演出した戦争・紛争を利用し、「グローバリズムは正義である」との大義名分の下に、〝世界中から利益を収奪するためのグローバル市場経済システム〟を作り上げてきたのがアメリカです。

こういったアメリカの国際干渉政策には、これを正当化してきた理論があります。アメリカ政界の重鎮ブレジンスキーのグローバリズム歴史必然論です。ブレジンスキーは自著『THE CHOICE』（邦題『孤独な帝国アメリカ』）の中で「国家の評価は民主化の程度だけでなく、グローバル化の度合いによってもなされるべきである」「グローバル化が公平な機会をすべてのプレーヤーに提供するといった考え方は、現実かどうかに関係なく、新しいグローバル化という教義に歴史的な正統性を与える重要な根拠となった」と論じています。

つまり、グローバル化というものは実際には世界に不公平をもたらすものではあるが、歴史発展の必然性を持つので人類が等しく目指すべき方向である、と言っているのです。彼はグローバリゼーション（グローバル化）という言葉を使っていますが、これはグローバル市場化の意味で、要するにグローバリズムを指しています。

ならば結論はひとつです。「グローバル化が遅れた国は歴史の発展からとり残されることになり、そのような事態は当該国だけでなく、世界にとっても好ましいことではない。

従って、アメリカがグローバル化の不十分な国に介入することは正当化される」ということです。すでに本書で述べてきたように、オバマ大統領までのアメリカはグローバル化に反対またはグローバル化に遅れた諸国に対し、この国際干渉主義の大義名分の下、世界の警察官として各国の内政に干渉、時には政権転覆を行ってきました。

## グローバル化への三段階レジーム・チェンジ方式

ブレジンスキーは各国への介入にあたっての、「民主化↓民営化↓グローバル市場化」という三段階のレジーム・チェンジ方式を理論化しています。まず各国に民主化つまり複数政党による選挙の実施を求めます。経済の民営化を推進する候補者を、強硬手段を用いてでも当選させることが可能になるからです。経済が民営化されればアメリカ企業をはじめとする外資による現地企業の買収が容易になります。その結果、当該国のグローバル化が達成されることになります。グローバル化とは経済に対する国民主権の喪失なのです。だからこそ、ブレジンスキーの言うように、外資（多国籍企業）に有利なグローバル化は世界に不公平をもたらすことになるのです。

グローバル市場化は世界に不公平をもたらしたばかりではなく、アメリカ国内にも貧富の格差の拡大をもたらしました。この点を正面から争点に取り上げて有権者の心情に訴えて、大統領に当選したのがトランプ氏でした。

そして、世界のグローバル市場化が生み出したアメリカを含む人類全体の不公平さから目をそらすために考案されたのが、ポリティカル・コレクトネスです。「自由と民主主義」「民営化」「人権尊重」「男女平等」「少数派の権利擁護」といった一見誰も反対できない用語をめぐって言い争っている間に、世界の格差は一層拡大したのです。

世界が格差拡大をもたらしたグローバリズムの欺瞞《ぎまん》に気づき始めたからこそ、トランプ大統領の誕生や、イギリスのEU脱退の国民投票（2016年6月）につながったと言うことも可能です。

## 壁建設は反グローバリズムの象徴

トランプ氏は「グローバリズムは国家の敵である」として、「真にアメリカ国民のために国づくりをしていく」と宣言しました。同盟国を訪れては「もっと軍事費を負担せよ」と圧力をかけているのは、「アメリカの財産を使って世界の警察などやるのは不公平だ。アメリカに安全保障の協力を求めるならそれ相応の負担をせよ」ということです。経済的な関係についても「地域的あるいは国際的な枠組みによるのではなく、それぞれの国同士で交渉してやっていけば双方にとってもっと良い結果が得られる」という姿勢で見直しを強く迫ったのです。

「メキシコとの国境に壁をつくる」という言葉が物議をかもしましたが、主権国家である限り、国境を維持管理することは当然です。主権国家の意志としての国境管理の重要性を、わかりやすく、壁をつくる、と言っているに過ぎません。グローバリズムの推進にとって、国境の壁は禁忌です。なぜなら、国境を廃止することがグローバリズムの目的だからです。壁反対を唱えているメディアも民主党も、グローバリズムを拒否して憚らないトランプ大統領を、故意に中傷していたのです。

## ２０１７年　G20ハンブルクサミット

**通　説**▼「相互に連結された世界の形成」をテーマに率直な意見交換が行われた。

**歴史の真相**▼世界の命運を握るのは米露関係であり、中国は蚊帳の外であることが明確化した。

### G２とは米露のこと

私が奇妙に思うのは、たいていどのメディアもロシアと中国を同列に論じている、ということです。これは、日本の旧親米保守層の発想でもあるでしょう。こういう見方は世界の権力構造の本質を見誤ります。

２０１７年７月７日、ドイツのハンブルクでG20首脳会議が行われました。G20サミット自体は実質的討議の内容に乏しいのが常です。それよりも各国首脳にとっては、その場を使った個別会談に意味があります。

このサミットで、トランプ大統領とプーチン大統領との初めての直接会談が行われました。当初30分の予定を大幅に超過して2時間15分の長時間会談となりました。米露、米中、露中、日米、日中、日露など主要国間の首脳会談が行われましたが、最も注目を集めたのはやはりトランプ・プーチン会談でした。

なぜなら、世界情勢に決定的な影響を及ぼすのは米露関係だからです。いくら中国が米中をG2として世界を管理すると虚勢を張ったところで中国の独りよがりに過ぎず、GDP（国内総生産）の数字の上ではアメリカに次ぐ経済大国とは言っても中国という国は、軍事力とりわけ核戦力についてはアメリカとの釣り合いを維持しているロシアのはるか後《こう》塵《じん》を拝している国です。さらに、エネルギー資源と食糧を自給できない中国はアメリカと並ぶ超大国にはなりえません。ロシアに厳しく中国には甘いブレジンスキーも、同様の理由で中国は超大国になれないと指摘しています。

遡《さかのぼ》ると、2015年11月のG20サミットはトルコで行われましたが、その時のオバマ大統領とプーチン大統領の振る舞いには印象深いものがありました。衆人環視の中、会議場のロビーのソファで2人きりの会談を行っていました。当時は米露不仲が盛んに報じられていましたが、これ見よがしにひそひそ話をする米露首脳の姿は、世界を管理するのは米露でありそれ以外ではない、G2とは米露だ、ということを世界に知らしめました。この時の首脳会談の隠れた標的が中国だったことは明白です。

## 中国は国家ではなく市場である

何千年にもわたる交流の歴史から、何となく中国のことを分かっていると勘違いしている人が多いので、この項で改めて中国とは何かについて考察してみたいと思います。中国は「国家」であると考えると誤ってしまいます。そこで、中国を論じる際に忘れてはならない重要な視点を三点紹介します。

①中国はいわゆる国家ではなく、共産党が独占的な支配権を持っている巨大市場であること。

②中国人は自分のビジネスを保障してくれれば、支配者は誰でもよいと考えていること。

③中国はエネルギーと食料が自給できないので、世界の覇権勢力（いわゆる「超大国」）にはなれないこと。

この三点を考慮に入れれば、中国共産党による独裁体制は、経済の衰退とともに崩壊するであろうことが予測できます。ソ連がその例の一つですが、一つの制度・体制は70年以上持たないものだと根拠もなく喝破したのは、ジャック・アタリというミッテラン大統領の補佐官を務めたこともあるユダヤ系フランス人です。彼はディープステートの欧州における広告塔と言ってよい存在で、グローバル市場推進勢力の理論家の一人です。

このアタリは、2025年には共産党の独裁支配は終わると公言しています（『21世紀の歴史』）これは、共産主義中国を建国したグローバリストにとって、中国の共産主義体制はもはや必要ではなくなったことを意味します。

トランプ大統領は「自由で開かれたインド・太平洋戦略」を打ち上げて、習近平の一対一路構想に冷や水を浴びせました。トランプにとって自国民を愛さない共産党政権を認めるわけにはゆかなかったわけです。「自由で開かれたインド・太平洋戦略」はもともと安倍総理が2016年に発表した構想です。日米の緊密な連携に対して、習近平は安倍総理に一目置かざるを得ませんでした。

とはいえ、習近平が親日になったわけでは決してありません。中国の目的が緊密な日米関係にくさびを打ち込むことであることを忘れてはならないでしょう。2024年現在の日中関係を見れば、自民党はじめ日本のほぼすべての政党や経済界がチャイナマネーに毒されているという悲しい現実が見えてきます。中国に対して自主独立の姿勢を取ることができなければ、日本はアメリカの対中政策に翻弄される危険が常にあることを心すべきです。

## プーチン大統領と安倍総理

トランプ氏は第45代大統領時代、ロシアとの関係を改善していくと表明し、米露が組んで中国を抑えるという構図を進めました。当時、すでにロシアゲート疑惑は晴れていましたが、依然としてアメリカ国内の反露勢力、つまりディープステートから足を引っ張られて思うような対露関係改善には踏み込めずにいました。そこで米露を橋渡しできるのは、トランプ大統領ともプーチン大統領とも馬が合う日本の安倍総理ということになったのです。中国が日本に接近する一方で執拗に安倍降ろしを工作していたのはこれが理由です。

日本とロシアとの関係においては北方領土問題が大きな懸案です。ただ、両首脳の信頼関係を基礎として交渉は着実に進んでいました。２０１６年5月、ソチで「新しいアプローチ」に基づいて北方領土問題交渉を進めることが首脳のみの会談で合意されました。その合意を受けて全体会合で安倍総理は8項目の経済協力プロジェクトを提案しました。この順番が極めて重要でした。領土と経済協力が不可分の関係にあることが安倍総理とプーチン大統領の交渉の核心だったのです。

メディアはよく、領土と経済協力の単純な取引だ、という視点に立ちます。「経済が先行して領土は置いてきぼりになるだろう」とか「ロシアは経済の果実だけに関心があるに違いない」といった憶測が飛び交っています。この見方は違います。領土が解決しなければ本格的な経済協力もない、ですから食い逃げなどできない仕組みになっていたということが、先ほどの交渉の順番からわかります。

「新しいアプローチ」とは何か、具体的に明らかにされてはいませんでしたが、窺い知ることはできます。核心は、北方領土交渉を日露関係全体の中で議論しようというアプローチです。これまでのように4島の帰属問題を議論するだけでは入り口で止まってしまいます。

出口はどこにあるかと言えば、4島の「引き分け」ということにならざるを得ないでしょう。歯舞・色丹の2島、国後まで入れた3島、4島の面積を二等分、の3つのパターンが考えられますが、いずれにしろ我が国の悲願である4島返還は実現しないでしょう。

このジレンマを解消して日露の「引き分け」に持っていくことこそが「新しいアプローチ」であり、領土交渉と経済協力をリンクさせる、ということでした。なぜ、この2つがリンクさせられるかというと、実はロシアにとっての「安全保障」の問題だからです。ロシアにとって安倍総理が提案した8項目の経済協力は、ロシア経済のハイテク産業化を実現する唯一の方法でした。

現状のままではロシアは天然資源の国際価格に左右される脆弱な経済体質から抜け出せず、軍事的にはアメリカに並ぶ核大国ではあっても経済的な大国にはなれません。ウクライナ危機における欧米の経済制裁も、徐々にロシア経済に影響を及ぼしていました。

プーチン大統領は2018年3月のロシア大統領選挙で圧倒的勝利を収めました。この時点では、残り6年の任期のうちに、ピョートル大帝以来のロシア史上最高の指導者として歴史に名を残すためには、経済の近代化を成功させる必要がありました。これによってロシアは史上初めて名実ともに安定した大国となり、外部勢力によるロシアへの経済侵略を阻止することができるようになります。ロシア経済のハイテク産業化こそ、ロシアにとっての最大の安全保障でした。プーチン大統領は2000年に就任した時に発表した論文「新千年紀を迎えるロシア」の中で、「ロシアの新しい理念」の下でロシアをハイテク産業化することを表明しています。北方領土交渉は安倍総理もさることながら、プーチン大統領にとってこそ正念場だったのです。

## 2018年　米朝首脳会談

**通　説**▼米朝首脳会談は、北朝鮮が制裁解除と経済支援を望んで開催された。
**歴史の真相**▼米朝首脳会談は、金正恩の後ろ盾・国際金融勢力が手を引いた結果である。

### 朝鮮半島統一のシナリオ

前述した通り、1950年に始まる朝鮮戦争はアメリカ、イギリスとソ連が仕組んだ八百長戦争でした。得をしたのは戦争資金を融資した国際金融資本家と、武器を売って儲けた軍需産業のいわゆる「軍産複合体」です。彼らの先兵であるネオコンは、世界のトラブルメーカーとして国際干渉政策上利用価値のある北朝鮮を温存してきたのです。

ところが、トランプ大統領は国際干渉政策を否定し、各国ファーストを唱えるナショナリストでした。だから、トランプ氏の北朝鮮政策は、北朝鮮が自国民の利益を考える体制に移行させることを目指していました。つまり、「北朝鮮ファースト」です。結局、それまで相次ぐミサイル発射などでアメリカを正面から挑発してきた北朝鮮の方が突如として態度を変え、2018年6月、シンガポールで史上初の米朝首脳会談が開催されました。これはつまり、北朝鮮・金正恩の後ろ盾だった国際金融勢力が手を引き、金正恩が孤立したということを意味します。

北朝鮮情勢は、アメリカ国内におけるトランプ陣営と反トランプ勢力の代理戦争でした。金正恩を裏で実質的に支配していた国際金融勢力は反トランプ勢力の急先鋒です。彼らは金正恩を見限りました。どういった経緯があったのか、それを知るためのカギを握るのが、2018年1月のダボス会議つまり世界経済フォーラムの年次総会です。

## ネオコンとの取引

2018年1月のダボス会議にはトランプ大統領が出席しました。ここで、トランプ氏と国際金融勢力との間に水面下の取引があったと考えられるのです。取引には当然見返り条件というものがあります。トランプ大統領にはいくつかの妥協がありました。

第一の取引と思われるものは、シリア問題での妥協です。シリアにおける内戦の模様がメディアでクローズアップされるようになったタイミングは、くしくも朝鮮半島情勢の沈静化と呼応しています。反トランプ勢力はトランプ氏に対してシリアへの本格的な介入を要求し、トランプ氏はやむをえずこの要求を飲んだ可能性があります。

その伏線は前年にありました。2017年4月6日、アメリカがシリアの軍事施設を巡航ミサイルで空爆しました。反体制派地域に対してアサド政権が化学兵器を使用した、というのが空爆の理由です。アサド大統領が化学兵器を使用した事実は確認されていません。

私はこのニュースに耳を疑いました。ISISを掃討するためには、ISISと正面から戦っているアサド政権とロシアとの協力が欠かせません。シリア空爆は、従来のトランプ氏の姿勢を180度転換したと受けとられても仕方のない暴挙です。

それに、アメリカの空爆は侵略行為であり国際法違反です。しかし、G7諸国の議論も、世界の主要メディアの議論も、アサド大統領の化学兵器使用を前提として、アメリカの空爆を擁護しました。どうもすっきりしません。アサド政権を倒すために空爆したのであれば、「アラブの春」戦略と同じです。トランプ氏が批判してきたヒラリーの国際干渉主義路線に戻ったことを意味し、選挙公約違反であり、国民への裏切りです。

後でわかりましたが、この空爆には別の狙いがありました。

## シリア空爆の狙い

シリア空爆の狙いとは何だったのでしょうか。3つのポイントがあります。

第一に、空爆の成果は小さいものでした。トランプ大統領はアサド大統領を口汚くこきおろしましたが早期退陣を明確には求めていませんでした。一応空爆しました、という「アリバイ工作」です。

第二に、空爆はフロリダでの米中首脳会談の時期に合わせて実施されました。ミサイル発射実験を重ねる北朝鮮への警告です。加えて、北朝鮮を庇護してきた中国に対する、北朝鮮に対して具体的な行動をとるようにという「最後通牒」です。習近平は石炭輸入の禁止を徹底するなどの措置をとったようです。従来のアメリカ政権の温存政策に浸ってきた北朝鮮にとって、トランプ大統領の本気度は驚天動地のショックだったに違いありません。

第三に、ロシアへの計算された配慮です。二時間前とはいえ、一応空爆の事前通報をロシアに行いました。空爆直後にはティラーソン国務長官が訪露してプーチン大統領やラブロフ外相と会談しています。

つまりトランプ氏の目的はアサド政権転覆にはありませんでした。対露強硬派である共和党主流派に対するガス抜きだったと私は考えています。元ベトナム兵のマケイン上院議員に代表される共和党主流派にはロシアを宿敵と見るネオコンの考えに近い人が多くいます。

ネオコンはかつてイラク戦争を仕掛けてフセイン大統領を失脚させました。東欧カラー革命を操り、親米政権を次々に樹立しました。「アラブの春」を演出したのもネオコンです。大統領就任後まもないトランプ氏としては、共和党の足元を固める意味からもある程度ネオコンと妥協する必要があり、ロシアに対して政治的・軍事的に多少の対立が生じるのはやむをえないと判断したのでしょう。

それから1年後の、２０１８年の4月に、ダボス会議での「取引」に従い、トランプ大統領は同じ理由でシリアを空爆しました。ネオコンとしては、アサドが内戦に勝利し、ロシアが中東で存在感を増すことはどうしても阻止しなければなりません。国際金融勢力の世界戦略の実行部隊であるネオコンの最大のターゲットはプーチンです。プーチン大統領は、ネオコンの世界戦略つまりグローバル市場化による世界統一に立ちはだかる存在です。

アサドつぶしはプーチン追い落としにつながります。ネオコンの背後にいる国際金融勢力にとっては、中国に深く依存している北朝鮮などより、プーチンが全面的にコミットしているシリアの方が重要である、ということです。

ダボス会議におけるトランプ大統領と国際金融勢力との第二の取引として、中国の飽くなき対外膨張を抑止するとの妥協が成立したと考えられます。先にも触れたジャック・アタリの、2025年までには中国共産党の一党独裁は終わる、という予言は、グローバル勢力は中国共産党を見放したということを示唆しています。

# 第五章

# グローバリズムvsナショナリズムの世界最終戦争

【2020年〜】

## 学校で教わる歴史概説　２０２０年〜２０２３年

１月、イギリスのＥＵ正式離脱で幕を開けた２０２０年は、新型コロナウイルスの感染問題が世界中を混乱させる年となった。３月にＷＨＯ（世界保健機関）がパンデミック（世界的大流行）と認定し、前年12月初旬に中国の武漢市で１例目の感染者が報告されてからたった数カ月後の４月には、感染者は世界で３００万人を超える事態となる。各国とも新型コロナウイルス感染を非常事態としてとらえて対応し、厳しい行動制限やロックダウン（都市封鎖）などの緊急政策を敷く中、経済活動の縮小は避けられない状態となった。

そんな状況の中、アメリカでは２０２０年12月の大統領選で共和党において当時現職の大統領ドナルド・トランプが破れ、民主党のジョー・バイデンが２０２１年１月、米新大統領として就任した。バイデン米大統領は４月、２００１年９月の同時多発テロ発生を機にアフガニスタンに駐留させていた米軍の撤退を開始する。８月31日に撤退は完了するが、アフガニスタンは、米軍駐留によって駆逐されていたタリバン（イスラム原理主義組織）の再度の支配を受けることとなった。戒律を重視するタリバンの統治による、特に女性に対する厳しい抑圧は、世界の潮流である多文化共生やジェンダーフリーの価値観に逆行するものとして批判を受け続けている。

グローバリゼーションの進行を背景に国際連合をはじめとする国際機関による諸国家の利害調整、紛争解決が重要視される中、それを無視するように2022年2月24日、ロシアによる、ウクライナに対する軍事侵攻が開始された。翌25日に国連安全保障理事会はロシアを非難する決議案の採決を行ったが、当然のことながら常任理事国であるロシアが拒否権を行使して不採択となる。ロシアによるウクライナ侵攻は、ヨーロッパ地域におけるNATO諸国とロシアとの対立を明確にするものとなった。

その翌年の2023年は、アメリカを中心とする西側民主主義諸国と、ロシアや中国をはじめとする多大な権力をもつ支配者が恣意的に政治を行う専制主義の国々との対立をさらに浮き彫りにしていく年となった。5月に開催されたG7広島サミットはウクライナのウォロディミル・ゼレンスキー大統領を迎え、西側諸国のロシアに対する非難の姿勢をさらに強めるものとした。9月には北朝鮮の金正恩総書記とロシアのウラジーミル・プーチン大統領との、軍事協力要請を主とすると見られる会談が実現した。10月にはパレスチナ自治区ガザを実効支配するイスラム組織のハマスがイスラエルを武力攻撃し、アメリカを後ろ盾とするイスラエルとアラブ諸国との複雑な関係をますます混迷化させることとなった。

# 2022年 ウクライナ戦争

通　説▼ウクライナ戦争はプーチン大統領が一方的に侵攻した。
歴史の真相▼ディープステートがプーチンを追い詰めた。

## 世界中に振りまかれた幼稚な善悪二元論

2022年2月24日、ロシアによるウクライナ侵攻が開始されました。同日の早朝、プーチン大統領は侵攻に先立ち、ロシアの国営チャンネルによる放送で、「特殊軍事作戦」を開始する、との演説を行っています。

ロシアによる侵攻は、欧米のメディアによってただちに「国際法の深刻な違反であり、第二次世界大戦後の国際法秩序を破壊する暴挙である」と伝えられました。こうして「巨悪」としてのロシア、そして、「自由と民主主義の擁護者」としてのウクライナという幼稚な善悪二元論が世界中に振りまかれることになったわけです。

ウクライナ戦争を論じる上では、その本質を見極める必要があります。これはロシア対ウクライナの戦争ではありません。アメリカを操るディープステートとロシアとの戦いが今回のウクライナ戦争です。

ウクライナ戦争の背景には、過去200年間にわたるロシアと国際金融勢力つまりディープステートとの戦いがあります。1814年から翌年にかけて行われたウィーン会議、1861年から65年にかけて展開されたアメリカ南北戦争、1917年に起こったロシア革命の3つの出来事を大きな転換期とするロシア対国際金融勢力の200年戦争が、一本の線となってウクライナ戦争へとつながっているのです。

## アレクサンドル1世対国際金融勢力

ウィーン会議は、通説では、フランス革命とナポレオン戦争が招いたヨーロッパの大混乱の後始末について話し合うために関係各国が集まった会議とされています。しかし、その実態は、戦勝国であるイギリス、ロシア帝国、プロイセン王国、オーストリア帝国と敗戦国フランスの5カ国間による協議でした。

当時のロシア皇帝アレクサンドル1世は、秩序復興のために、キリスト教国による神聖同盟を提唱しました。これにオーストリアとプロイセンが同調します。アレクサンドル1

世は敬虔《けいけん》なロシア正教徒であり、国家の反宗教性がヨーロッパを戦乱に巻き込んだ根源だと考えていました。

このアレクサンドル1世の存在に嫌悪感を示したのがユダヤ系国際金融勢力ロスチャイルド家でした。ロスチャイルド家は各国政府に戦争資金を融資することで莫大な利益を得ていました。彼らは、時には戦争を仕組むことさえ行って戦争当事国に高金利で資金を貸し付け、戦況情報をいち早く入手するか、あるいは情報を操作することによって金融市場で利益を上げ、融資の見返りとして各国に中央銀行を設立させて通貨発行権を認めさせ、莫大な通貨発行益（貨幣および紙幣の製造費用を除いた発行利益）を得ていました。

アレクサンドル1世はロシアに中央銀行をつくることを拒否しました。さらに、彼が提唱した神聖同盟は、ユダヤを敵視するキリスト教の国々の団結を高める可能性がありました。ロシアは、国際金融勢力の世界戦略を大きく制限しかねない存在だったのです。

フランス革命はまずユダヤ人を解放するための革命であり、ウィーン会議にかけての時期、解放されたユダヤ人は政府の閣僚や教育者、企業経営者として社会の中枢に入り込み、影響力を増してきていました。同時に、自由を得た都市在住の一般のユダヤ人たちがヨーロッパ各地で革命を起こすようになります。1848年に出版されたカール・マルクスとフリードリヒ・エンゲルスの共著『共産党宣言』もそういった流れの中にあります。ロスチャイルド家はマルクスの共産主義研究に対して資金援助をしていました。その一方で、共産主義を批判する思想・理論の研究に対しても資金援助を行いました。思想やイデオロギーによる対立は国家を弱体化させます。国家の弱体化は革命や戦争を生みます。そこにこそ自分たちの利益があることを国際金融勢力は確信していました。

## アレクサンドル2世とリンカーン対国際金融勢力

南北戦争は、通説では奴隷解放をめぐるアメリカの北部と南部の戦いだったとされています。しかし、エイブラハム・リンカーン大統領は連邦制維持のためには奴隷制度を認めてもよいと考えていたことが明らかになっており、奴隷解放は実際には南北戦争にとってそれほど重要な要因ではありませんでした。南北戦争は、工業を主とする北部と農業を主とする南部の経済状況の違いから生じる軋轢がエスカレートして起きた戦争です。

南部は綿花などを輸出品に、綿製品や工業製品を輸入品としてイギリスと貿易を行っていましたが、この一大貿易網を牛耳っていたのがロスチャイルド家などの国際金融勢力でした。イギリスは、南部に工業製品を買わせたいという北部の思惑を利用して、南部からの綿花輸入を禁止し、不満を持った南部が連邦から離脱して独立国となるよう対立を煽ります。イギリスの金融資本家からすれば本国をしのぐ大国になりかねないアメリカは内部分裂させておきたい国であり、また、中央銀行をアメリカに復活させたいという野心もありました。アメリカの中央銀行は1791年以来20年の期限付きで存在していましたが、第7代ジャクソン大統領が存続に拒否権を発動したことによる期限切れにより、当時は存在していなかったのです。

戦費の調達に苦慮するリンカーンに対してロスチャイルド家は36パーセントという高金利の融資を持ちかけますが、リンカーンは拒否し、1862年に連邦政府自らの手による紙幣発行を決定します。しかしこれは、政府が債務を負わずに通貨を発行することを意味し、民間中央銀行を運営して通貨発行益を得るという国際金融資本家の利害に反します。リンカーンはその決定から3年後に暗殺されました。

そんなリンカーンを終始援助していたのが、民間ではない中央銀行であるロシア帝国国立銀行をすでに設立していたアレクサンドル2世でした。アレクサンドル2世は、英仏両国が南軍を支援するならばロシアに対する宣戦布告とみなす、北軍側として参戦する、と警告し、実際にロシア艦隊をサンフランシスコ港とニューヨーク港に派遣しています。

かくして、アレクサンドル2世は国際金融勢力を敵に回し、ロシアの社会主義革命家たちの標的となりました。数回にわたる未遂事件のすえに1881年、アレクサンドル2世は首都サンクトペテルブルクでユダヤ人人民革命家（ナロードニキ）に暗殺されました。

ロシア帝国は当事、最大のユダヤ人人口を抱える国でした。ロシア農民から搾取することで富を築いていたユダヤ人が襲われ、19世紀後半から20世紀初頭にかけて「ポグロム」と呼ばれるユダヤ人の虐殺事件が頻発します。その元凶はロシア帝政にあると見たユダヤ人の社会主義革命運動が1917年のロシア革命につながりました。本書の冒頭で解説した通り、ロシア革命は、ロシアのユダヤ人を解放するために、国外に亡命していたユダヤ人がロンドン・シティやニューヨークのユダヤ系国際金融勢力の支援を受けて起こした革命でした。

## プーチン大統領対ディープステート

第二次世界大戦後の東西冷戦は、二超大国の世界の覇権争いではなく、力を持ちすぎたアメリカを牽制するために国際金融勢力がソ連の脅威を利用した、というのが真相です。アメリカで新自由主義が台頭し、超格差社会により金融資本家たちのアメリカ支配力が高まったことで、利用価値のなくなったソ連は崩壊の道をたどることになりました。冷戦終了後はディープステートの戦争実動部隊であるネオコン勢力が、アメリカの一極支配体制を後ろ盾にして戦争を撒き散らし続けているというのが世界の実情です。

アメリカの新自由主義者たちの主導による急激な民営化で大不況となったロシアを再建すべく、強力なリーダーシップを持つナショナリストとして登場したのがプーチン大統領でした。

プーチン大統領は2007年のミュンヘン安全保障会議で、「ロシアはアメリカの世界一極主義に反対する」という演説を行いました。これは、アメリカは世界統一政府の設立を狙っているディープステートの手中にあるということを世界に暴露した警告であり、同時にディープステートへの宣戦布告でもありました。

ウクライナ侵攻の直近の原因は2014年に遡ります。同年2月、民主化運動の名の下にアメリカのネオコンが主導して誕生した反露過激派政権がロシア人迫害を開始したことを受け、3月、ロシアは住民投票の結果に従ってウクライナ領クリミアを編入しました。アメリカは激しく反発し、EUや日本を巻き込んでロシアに制裁を科しました。

クリミアはそもそも18世紀のトルコとの戦争でロシア帝国が奪取し、トルコ・イギリスとの戦いを通して死守してきた領土です。もともとロシア領であり、純然たる他国の領土を強制的に併合したわけではありません。なお、クリミアは、スターリン時代のソ連において、アメリカのメディアにソ連の戦況を伝える目的で設立された「ユダヤ人・反ファシスト委員会」が、ユダヤ人の自治共和国とすべく計画したという歴史があります。この計画は、ソ連共産党政治局で議論されましたがスターリンに拒否され実現しませんでした。「背景にアメリカの影響を嗅ぎとったからだ」と、後にフルシチョフが回想しています。スターリンはウォール街のユダヤ系国際金融勢力によってソ連の安全が脅かされることを危惧した、と言えるでしょう。

クリミア編入を機に、ロシア系住民が多数を占めるウクライナ東部・ドンバス地域でウクライナ軍と住民との間で戦闘が勃発しました。2015年2月、ドイツのメルケル首相とフランスのオランド大統領立会いの下に、ベラルーシのミンスクにおいてウクライナのポロシェンコ大統領、ロシアのプーチン大統領、東部2地域の間で停戦に関する合意が成立しました。

このミンスク合意を強く批判したのが、ネオコンを代表するユダヤ系投資家のジョージ・ソロスでした。ソロスは同年4月1日付のニューヨーク・タイムズに「停戦合意によって民主化は失敗した。合意は破棄されるべきだ」「ロシアと戦争ができるようにウクライナに対してEUは軍事援助すべきだ」と寄稿しています。

プーチン大統領は従来、ネオコンが仕掛ける罠にはまらず、また、度重なる挑発にも乗らずにきました。そして、ウクライナ侵攻もまた、ネオコンの挑発あるいは罠にはまって実行されたものではありません。

2014年以来、ウクライナの軍事基地化が進展の一途をたどっていました。プーチン大統領は2022年2月21日、東部のドネツク人民共和国とルガンスク人民共和国を国家承認するよう世界に求めた演説で、「1999年から2020年までの間にNATOの東方拡大が進み、ロシア国境沿いにNATO軍が直接対峙する事態となっている。さらにはウクライナのNATO加盟の動きが露骨になってきた」と強調しました。

ウクライナのNATO加盟は、ウクライナが対ロシア軍事攻撃の前線基地として完成する、ということを意味します。ロシアの安全を脅かす差し迫った危機に対応すべく、プーチン大統領は、自衛のためにやむをえずウクライナ侵攻を決断しました。ネオコンの挑発に乗ってしまったのではなく、追い詰められた、というのが実情です。

## 2023年　広島サミット

**通　説**▼岸田総理はG7議長として広島サミットを成功させた。
**歴史の真相**▼岸田総理は場所を提供した脇役に過ぎなかった。

### G7の没落と役割の終焉

２０２３年５月に開催されたＧ７広島サミットは戦時体制下にあるウクライナのゼレンスキー大統領の電撃訪日が話題を呼びました。ゼレンスキー大統領の訪日は、アメリカ、フランス、イギリスの意向で実現したものです。それはウクライナ大統領府長官の、アメリカから最初に話があった、という趣旨のＮＨＫのインタビューにおける発言からもわかります。

ゼレンスキー訪日のプロセスにおいて、日本は広島Ｇ７サミットの議長国であったにもかかわらず、蚊帳の外でした。つまり岸田総理は終始、脇役に過ぎなかったのです。

訪日前、ゼレンスキー大統領はサウジアラビアのジッダに滞在していました。アラブ連盟の首脳会議に出席しており、その目的はもちろんウクライナ支援の訴えです。しかし、ジッダに集まっていたのはグローバルサウスよりはるかにウクライナに批判的立場をとるアラブ諸国であり、まったく成果はありませんでした。

ゼレンスキー大統領はその足でフランスの政府専用機に乗ってG7広島サミットに参加したわけですが、G7の各国首脳とはすでに何回も会談しており話をする必要はありません。目的はインドやブラジルなどグローバルサウス諸国に支援のアピールをすることでした。しかしブラジルとの会談は実現せず、インドとの会談では、ウクライナ戦争は人道問題であり話し合いによって早くやめるべきである、とモディ首相にたしなめられる程でした。グローバルサウスとの会談は失敗に終わりました。

G7広島サミットは皮肉にもグローバルサウスの影響力を世界にアピールする場となりました。つまりG7広島サミットは、G7に付き合わされてウクライナを支援している諸国は世界の少数派であるということを改めて明確にしてしまったサミットでした。

これまではG7の主要先進国が世界をリードしていると考えられていました。しかし、かつては世界のGDPの6割以上を占めていたG7の経済力も2014年に5割を切り、2020年以降は4割程度に縮んでいます。世界を動かすことができる勢力とはすでに言えなくなっているのが現実です。Ｇ７諸国の影響力は弱体化しており、世界を牽引してきたＧ７の役割はすでに終わっていると言っていいでしょう。そして、さらなる問題は、Ｇ７諸国の中もウクライナ支援をめぐり態度が割れている、ということでした。

## ■ノルドストリーム爆破事件を機とするアメリカの政策転換

そもそもウクライナ戦争への対応についてはＥＵ諸国とアメリカ・イギリスとの間に大きな差がありました。ＥＵ諸国は主にエネルギー確保の問題からロシアとの関係を何とか維持しようと考えていました。一方、アメリカ・イギリスのネオコン勢力はロシアを徹底的に倒すことを狙っていました。

ところが、アメリカの中に、ネオコン勢力の弱体化とも見られる意見、つまり、このまま対ロシア制裁を続けていていいのか、ウクライナ支援を続けていていいのかという国益派の意見が強まります。いわゆる停戦派の台頭です。

こうした動きに伴ってバイデン大統領が停戦政策路線に転換するきっかけとなったのが、２０２２年9月26日に起きた「ノルドストリーム爆破事件」でした。ロシアとドイツが長年をかけて築いてきた液化天然ガスの海底パイプラインが爆破されたのですが、その実行は、「バイデン大統領の指示の下でCIAと米海軍およびノルウェー海軍の共同作戦によってなされた」とアメリカの著名な調査報道記者セイモア・ハーシュが2023年2月8日付の自身のブログで暴露しています。

ノルドストリームの爆破はドイツに対する軍事攻撃であり、ドイツとロシアの関係にくさびを打ち込むことを意味しました。アメリカは歴史的にロシアとドイツが結びつくことを警戒してきましたが、この破壊工作はドイツをアメリカのエネルギーに依存させることを狙ったものと言えます。ドイツはアメリカを非難せず、沈黙を守りました。アメリカはウクライナ戦争において、「ロシアからドイツなどEU諸国を離反させる」という外交的成果を上げることに成功したのです。

これは、ノルドストリーム爆破事件が起きた2022年9月26日をもってすでに世界はウクライナ戦争の終結に向かって走り始めた、ということを意味しています。つまり、この時点でウクライナ戦争は事実上終わった、ということです。

以上見たように、反転攻勢を叫んでいる戦争当事国の最高司令官であるにもかかわらず、ゼレンスキー大統領はヨーロッパ諸国を歴訪し、サウジアラビアを訪れ、G7広島サミット参加のために訪日しました。日本は復興会議を任されました。水面下では和平会議が開催されました。NATO諸国は表向きはウクライナ支援の建前は崩していませんが、軍事支援は滞っています。F‐16戦闘機の供与が決定したことが大きなニュースとなりましたが、パイロットの訓練には数カ月かかります。こうした公開情報を丹念にフォローしていれば、いくら熱心にマスコミがウクライナの反転攻勢を伝えていようとも、もう戦争は終わっていることがよくわかったはずです。

G7広島サミットに先立って2023年3月、岸田総理がウクライナを電撃訪問しました。これは、復興は日本に任せる、ということのすり合わせのための訪問でした。支援や供与という言葉が使われていますが、アメリカとイギリス、またEU諸国が行ったことはすべて戦争への投資です。ブリンケン国務長官はウクライナ軍事支援が軍産複合体企業を潤したことを公言しています。これから、アメリカやイギリスは投資の回収に走ります。ウクライナは黒土地帯の田園や金銀財宝のある教会などの資源を売らざるを得なくなるかもしれません。ウクライナの破壊に手を貸した人たちが復興に協力するはずがなく、復興資金については必然的に日本が担当することになっているのです。

## アメリカが求める日本のあり方

アメリカのメディアは、「G7広島サミットにおいては覇権拡大を目指す中国が議題の中心になった」と報じていました。同時に、「オピニオンリーダーの間では中国への対応について日本の主導的な役割や防衛力強化を求める声も出ている」と伝えていました。

つまり、アメリカは、日本が先頭に立って中国にあたれ、と言っているのです。中国の権威主義的な展開を抑えることが日本のやるべきことである、端的に言えば、日本は中国との戦争を準備しろ、ということです。

アメリカは、「中国の軍備増強に対応するために日本が防衛力を強化しても、中国と北朝鮮を除き、多くの国は日本の安全保障上の役割拡大を恐れない」と言っています。だから心配するな、ということなのですが、ここには実にいろいろな意味が込められています。

中国と北朝鮮を除き、ということは、ロシアは日本の防衛力強化を恐れない、ということです。「ロシアに戦争を仕掛けるために日本は軍備を増強するのではなく中国に対応するために増強するのだということをロシアは理解している」のをアメリカはわかっているのです。中国とロシアは極めて微妙な関係にあるということが、こうしたことからも見てとれます。

これからの日本は、アメリカの圧力によって中国と戦争する方向に引きずられていくことになるでしょう。しかし、よく言われる台湾有事が発生する可能性は低いでしょう。習近平国家主席にとって台湾侵攻の動機はなく、中国共産党にとっては今の台湾の状況にこそメリットがあります。

1950年、当事の国務長官ディーン・アチソンは、太平洋におけるアメリカの防衛圏として、アリューシャン列島、日本、琉球諸島、フィリピン群島を明示する演説を行いました。この中に韓国と台湾は含まれておらず、つまりアメリカは、台湾は中国共産党のものであることを認めているのです。

## ■民主主義と専制主義

G7に代表される西側諸国は民主主義の国々であり、独裁体制の中国、北朝鮮、ロシアなどは専制主義の国々だ、とよく言われます。ウクライナ戦争を民主主義対専制主義の戦争だとして、専制主義つまりロシアを巨悪だと印象づける論調もよく見かけます。

私たち日本人は、自分たちの代表を選挙で選ぶ、つまり民主主義の国に暮らしていると思い込んでいます。しかし、それは壮大な欺瞞です。私たちは、本当に選びたい人を選んでいるのではありません。裏でコントロールしている人たちがいます。彼らにとって望ましい人物を大衆に選ばせるということがこの100年来行われてきています。

本書の序章で述べた通り、ウィルソン大統領の広報委員会主要メンバーの一人エドワード・バーネイズは、1928年に書いた『プロパガンダ』の中で、《選挙民の意見を気づかれずにコントロールすることができる人々こそが、現在のアメリカで「目に見えない統治機構」を形成し、アメリカの真の支配者として君臨している》と述べています。目に見えない統治機構とは、今で言うディープステートのことです。専制主義の辞書的意味は、「国家のすべての権力が特定の個人や少数者の手に集中され、その意思のままに自由に政治が行われるような体制」です。であるならばアメリカもEU諸国も、そして日本もまた専制主義の国なのです。

# 2023年　プーチン・金正恩会談

**通　説**▼プーチン・金正恩会談は武器不足のロシアが頼み込んだ。
**歴史の真実**▼北朝鮮の後ろ盾だったディープステートが北朝鮮を放棄した。

## 北朝鮮はしたたかな国、という誤解

２０２３年9月13日、北朝鮮の金正恩総書記がロシア極東アムール州のボストーチヌイ宇宙基地を訪れ、ロシアのプーチン大統領と会談しました。会談の内容はほとんど公開されていませんが、世界の各メディアは、ロシア側はウクライナ戦争において不足している必要な武器弾薬の提供を求め、北朝鮮はその見返りとして食糧を含む経済的支援および軍事技術、宇宙開発技術の支援提供を求めることとなった会談である、と伝えました。

メディアあるいは識者の論評の中に、これまでしばしば、アメリカを手玉にとるほどのしたたかな北朝鮮といった言い方が出てきます。日本のテレビのニュース番組や新聞などでも北朝鮮をそのように評するコメントがよく見られ、北朝鮮というのは実はしたたかな国だ、と思い込まされています。

金正恩の股をくぐってでも砲弾が欲しいロシア、そこにうまくつけ込む北朝鮮、といった意味の見出しを掲げたメディアもありました。確かにロシアとしては他国から武器弾薬の提供を受けるにこしたことはないでしょう。

しかし、このプーチン・金正恩会談には、重要な意味が隠されていました。北朝鮮の後ろ盾であったディープステートがいよいよ北朝鮮を放棄した、ということです。

だからこそ北朝鮮は、ディープステートが敵視するロシアに密に近づかねばならなかったのです。北朝鮮は、したたかな国などではなく、ディープステートによって、アメリカと対等にやりあうような「演技」をさせられてきた国に過ぎませんでした。

## 北朝鮮を育成してきたディープステート

東西冷戦が終わっても、北朝鮮はソ連とともに崩壊することはありませんでした。なぜなら、「世界のトラブルメーカー」の役割を担わされ、ディープステートとその先兵のネオコン勢力によって温存されたからです。

ネオコン勢力は、北朝鮮が金王朝という過酷な独裁政権であることを利用しました。北朝鮮を隠れ蓑として、麻薬、贋金《がんきん》、マネーロンダリング、武器密輸、人身売買などに通じた世界のマフィアならびに各国の情報機関とのコネクションをつくりました。北朝鮮を悪行の集積地とし、事実上、世界から隔離したのです。

なぜ各国の情報機関は北朝鮮と関係を持ち、犯罪的な裏の世界と関わるのでしょうか。情報機関は、公認の予算とは別に、自己采配で自由に使える活動費を稼ぎ出す必要があるからです。

情報機関がいくら秘密裏の仕事を行う機関だとはいえ、民主主義国においては、その予算の確保には議会の承認が必要です。しかし、公認された予算だけでは、活動の性質上、日々の活動に支障をきたす恐れがあります。そこで情報機関はひそかに脱法的な取引に関わって資金を捻出します。

世界の情報機関のこのような不法活動については、内部告発本などによって断片的に明らかになってきました。また、こうした現実は、なぜ麻薬取引が世界で根絶できないのか、その理由のひとつでもあります。

北朝鮮が今日まで生き延び、アメリカに対して正面から挑発できている背景にはこうしたからくりがありました。

## アメリカ政府の北朝鮮温存方針

1993年から94年にかけて、北朝鮮核危機が発生しました。北朝鮮の提供情報とIAEA（国際原子力機関）の査察結果との間の重大な不一致が見られ、核開発疑惑が高まった、という事案です。

当事のアメリカは民主党のビル・クリントン政権でした。ジミー・カーター元大統領（民主党）が特使として北朝鮮に出向き、金日成主席との間にいわゆる「カーター核合意」を交わしました。北朝鮮は核開発をしないということを約束し、アメリカは核に代わるさまざまなエネルギー支援を約束させられました。日本も結局、かなりの額の金を供出させられています。

しかしその裏で北朝鮮は核開発を続け、核兵器の製造実験を重ねていきました。ジョージ・W・ブッシュ、バラク・オバマの歴代政権は、小国である北朝鮮をなぜか対等の立場においていくつかの協議・交渉を行っています。そしてその都度、合意には至るがすぐに裏切られる、ということが繰り返されました。北朝鮮のいわば騙しのテクニックを事実上黙認するなど、アメリカは本来の国力を故意に発揮しませんでした。北朝鮮をトラブルメーカーとして利用するネオコン勢力が背後にいたからです。

しかし、2018年1月下旬に行われたダボス会議で流れが一転します。すでに本書で述べた通り、ダボス会議は、トランプ大統領と国際金融勢力との間で水面下の取引が行われた会議でした。

トランプ大統領の対北朝鮮政策は、ナショナリズムにのっとって、北朝鮮が自国自身で自国民の利益を考える「北朝鮮ファースト」の体制に移行させる、というものでした。ダボス会議を機に、北朝鮮のアメリカ挑発は影を潜め、2018年6月に史上初の米朝首脳会議が開催されましたが、これは、国際金融勢力が北朝鮮から手を引くことにした、ということを意味していました。

2019年の4月には、国家間では8年ぶり、プーチン・金正恩間では初めての露朝首脳会談がウラジオストックで行われました。これはつまり、トランプ大統領との初の米朝首脳会談以降、金正恩の北朝鮮ファーストへの傾斜がディープステートとの疎遠状態を深めていったという背景の下で実現したのです。

その流れにある2023年9月のプーチン・金正恩の4年ぶりの首脳会談の実現は、ディープステートが北朝鮮つまり金王朝を放棄したことを端的に物語る出来事でした。

## 2023年　ハマスの対イスラエルテロ

**通　説**▼ハマスの奇襲をイスラエルは知らなかった。

**歴史の真実**▼イスラエルは知っていたが、わざとハマスに攻撃させた。

### 繰り返される歴史

2023年10月7日、パレスチナ自治区ガザを実効支配するイスラム原理主義過激派組織のハマス（HAMAS）がイスラエルにロケット弾攻撃を仕掛け、イスラエルの複数地域に武装侵攻しました。

イスラエル軍の発表によると、事件発生後の3日間だけで1000人を超えるイスラエル人が死亡した、といいます。欧米のメディアは、イスラエル政府ならびに諜報特務庁のモサドもハマスの奇襲攻撃の動きを把握していなかったために大惨事となった、と伝えました。

10月7日はユダヤ教徒の安息日にあたりました。神へ祈りをささげる安息日はユダヤ教徒が守らなければならない神聖な日とされ、国全体が静かな雰囲気に包まれます。この隙をついて軍事攻撃が挙行されたのです。

ここで思い返す必要があるのが、1973年、エジプト軍とシリア軍がイスラエルを電撃的に軍事攻撃して始まった「ヨムキプール戦争」です。ヨムキプールとは、ユダヤ人にとって年に一度の贖罪の日であり、イスラエルが戒律を守って動けない時に攻撃するという歴史が繰り返されたのです。

## ■シナリオで決まっていた奇襲攻撃

1973年10月6日に開始されたヨムキプール戦争は一般的に「第4次中東戦争」と呼ばれています。日本ではオイルショックの原因となった戦争としてよく知られています。

ヨムキプール戦争は、イスラエルが不意を突かれるかたちで敗退を重ね、中東戦争史上初めてアラブ側が勝利した戦争でした。興味深いのは、当時アメリカの国務長官を務めていたキッシンジャーが回顧録の中で、この戦争について、「(キッシンジャー自身が)情報分析に失敗した」と述べていることです。本書ですでに述べていますが、キッシンジャーはエジプトとシリアがイスラエルを攻撃することを知っていたにもかかわらず、知らないふりをしてイスラエルを負けさせました。エジプトとシリアにイスラエルを攻撃させたのはディープステートであり、筋書きを描いたのがキッシンジャーだったのです。

この戦争中、イスラエルがパレスチナを占領していることを口実に、OPEC（石油輸出機構）は親イスラエル諸国に対する石油の禁輸を実施し、石油価格が一挙に暴騰しました。その結果、アメリカなどの石油財閥やその背後にいる金融資本家が大儲けします。このシナリオはキッシンジャーの思惑通りだと言えます。

他方、イスラエルを奇襲攻撃させたことには、もうひとつの目的がありました。それは、イスラエルの安全保障の強化です。

アラブ諸国は中東戦争でイスラエルに初めて打撃を与えることに成功しました。エジプトは自信を深め、1979年にイスラエルと平和条約を締結して、イスラエルを国家承認しました。

エジプトとイスラエルの国交樹立が実現すれば、イスラエルの安全保障は強化されます。それを目的にエジプトとシリアの奇襲攻撃を成功させた、という高等戦術です。

2023年10月のハマスによるイスラエル奇襲攻撃についてもまた、イスラエル側は知らなかった、というふうに情報操作されています。今回の奇襲攻撃の背後には、ディープステートのウクライナ戦争における敗北と関連があります。

## ■ウクライナそして中東の繰り返し

2014年2月にウクライナでマイダン・クーデターが起こり、親露派のヤヌコビッチ政権が暴力デモで追放されました。クーデターを主導したディープステートの外交実戦部隊のネオコン勢力はロシア系住民の虐殺を始めます。

3月、プーチン大統領はロシア系住民が7割を占めるクリミアを併合しました。アメリカの圧力の下で、EU諸国や日本などで対ロシア制裁が発動され、世界の世論をロシア非難に向かわせました。

そうした中、ウクライナの分を悪くする事件が発生します。同年7月17日にウクライナ上空を飛行中のマレーシア民間航空機がミサイルによって撃墜されました。

ウクライナ政府は親露派部隊の仕業であると喧伝しました。しかし、ウクライナ側の説明の矛盾や、持っているはずの撃墜時の航空写真をアメリカが公開拒否したことなどから、ウクライナ空軍機が撃墜したのではないかとの見方が強まります。

マレーシア民間航空機撃墜の実行主体は今も明らかにされていませんが、この事件を機に世界のメディアの関心はシリア情勢に移りました。ウクライナでの失敗を隠蔽するためにネオコン勢力は、中東・シリアにおける、アサド政権と反政府勢力との残酷な戦闘に世界の目を向けさせたのです。

## 中東のトラブルメーカー

2023年10月のハマスによるイスラエル攻撃は、ディープステートが、ウクライナ戦争での敗北から中東問題へと世界の関心を移すための作戦だと言えるでしょう。

ハマスは、中東のトラブルメーカーとしてディープステートが育成してきた組織です。弱体化したディープステートが世界を第三次世界大戦に巻き込んで延命を図ろうとしている事件がハマスによるイスラエル攻撃だった、ということです。

世界や日本の主流メディアでは、イランがハマスを支援してきたとして、イランの脅威を盛んに強調する論評が見られました。イランはハマス支持を表明していますが、イスラエル攻撃への関与は否定しました。

実はイランの中でも、イスラエルに対する姿勢は分かれています。イランのハメネイ最高指導者は、イスラエルとの衝突は避けるべきだとの考えですが、ハマスと同じくイスラエルの殲滅《せんめつ》を主張する軍隊組織「イラン革命防衛隊」の過激な行動に苦慮しています。

2020年1月3日、イラン革命防衛隊の精鋭部隊「コッズ部隊」のトップを務めていたカセム・スレイマニ司令官がイラクのバグダッドで米軍のドローン空爆を受けて死亡する、という事件がありました。トランプ大統領は、前年6月に米軍偵察ドローンがイランに撃墜される事件が起き、軍事的報復を宣言しましたが中止しました。ハメネイ最高指導者が知らないうちに、革命防衛隊が実行したことを知ったからです。トランプ氏はハメネイのためにスレイマニを暗殺してあげたと言えるわけです。

## ナショナル・ユダヤvsグローバル・ユダヤ

ハマスによるイスラエル攻撃は、ナショナル・ユダヤ対グローバル・ユダヤの戦いの一環であると言うことができます。

ナショナル・ユダヤは、イスラエルと将来のパレスチナ国家との共存を視野に入れている勢力です。一方、グローバル・ユダヤはイスラエルの安全よりも世界戦争戦略に重きを置く存在です。

攻撃を受けた翌日にイスラエルは正式に宣戦布告し、10月13日、ガザ地区の住民に退避通告を開始しました。ガザ地区南部を攻撃対象から外し、パレスチナ人はその地域へ退避するよう呼びかけました。

退避通告は、地上侵攻を実行に移すぞ、ということに他なりません。しかし地上侵攻はその後、延期に延期を重ねていました。

イスラエルはパレスチナ人に対する攻撃ではなく、ハマスに対する攻撃に照準を定めています。ここに、イスラエル軍の地上侵攻作戦のポイントがあるはずです。

つまり、ナショナル・ユダヤは将来のパレスチナ国家との共存を目指している、ということです。ユダヤ人国家イスラエルの安全保障の強化を確実にするものです。

一方、グローバル・ユダヤはイスラエルを、世界戦争を実現するためのひとつの駒として利用するという戦略を立てていたと考えられます。イスラエルという国が安全に存在することよりも、世界戦争戦略の方が重要である、ということです。

ただし、グローバル・ユダヤのこうした戦略も、ウクライナ戦争の敗北で通用しなくなりました。このことは、トランプ大統領とプーチン大統領の、グローバル・ユダヤに軸足を置くネタニヤフ首相への批判的な姿勢からわかります。ハマスによるイスラエル攻撃後、10月11日にはトランプ大統領がスレイマニ暗殺作戦においてネタニヤフ首相が最後に反対したことを暴露しました。つまり、ネタニヤフ首相はネオコン側であることを明らかにしたのです。また10月16日にはネタニヤフ首相と会談したプーチン大統領が、「民間人が犠牲となるすべての行為を非難する」と批判しました。

ナショナリストである両名は、ネタニヤフ首相がグローバル・ユダヤに軸足を置いている限り、イスラエルという国の安全保障は不十分なことを鋭く指摘したのです。

ウクライナ戦争、そしてハマスによるイスラエル攻撃を通してわかるのは、世界が、グローバル・ユダヤのディープステートから距離を置き始めた、ということです。世界の権力構造は大地殻変動を起こしました。時代の要請はグローバリズムではなくナショナリズムであるということが明らかになった、と言うことができるでしょう。

# あとがき

本書はウィーン会議以降、今日までの約200年間にわたる近現代史の通説の欺瞞を暴いてきました。通説とは、グローバリズムの推進者、すなわちグローバリストが捏造してきた歴史観を指します。グローバリズムとは、世界の統一を目指すイデオロギーであり、グローバリストとは世界統一主義者のことです。共産主義者も、新自由主義者も、ネオコン（新保守主義者）もグローバリストなのです。なぜ、彼らは歴史を捏造しなければならなかったのか、今回の新版を読んで下さった方々は、腑に落としていただけたのではないかと喜んでおります。

今回追加した項目は、グローバリズムvsナショナリズムの200年戦争を締めくくる視点から描かれています。なぜなら、2024年になってグローバリズムvsナショナリズムの最終戦争が、私たちに見える形で展開し始めたからです。今年以降の激動の時代を生き抜かなければなりません。そのためには、私たちが今置かれている立ち位置を正しく理解することが求められているのです。その主役となるのが本書を手に取ってくださった読者の方々なのです。

本書の旧版である『知ってはいけない現代史の正体』が幸い読者の方々に好意的に受け取っていただいたことが、今回の新版につながったわけですが、前著の時代の主流であったグローバリズムが衰退し、今や滅亡の状況にあります。それ故に、彼らグローバリストは必死に自らの衰退を隠そうとしているのです。彼らに代わって主役に躍り出てきたのが、ナショナリズムです。つまり、２０２４年を期してナショナリズム復権の時代に入りました。保守の時代の幕が上がったのです。

では、保守とは何か、これこそ現在の私たちに突き付けられた歴史的課題と言えるでしょう。私たちの周りを見渡してみれば、多くの言論人や政治家が保守を唱えています。ところが、何を保守すべきなのかについては、意見がさまざまなのです。これからの私たちが生き残るためには、保守とは何かを究める必要があるのです。そのためには、我が国の歴史に戻ることです。そうすれば、私たちは何を保守するべきなのかが、明らかになるはずです。これから、読者の方々と共に我が国における保守の神髄について探求したいと考えています。この探求は、我が国のみのために行う作業ではありません。世界的に見て、ナショナリズムの時代に突入した以上、世界の地殻変動の師表となるのが我が国の伝統的統治形態なのです。

では、私たちの伝統的統治形態とは何でしょうか。戦後教育を受けた方々には馴染みがありませんが、戦前まで私たちの拠り所であったのが「君民共治」であり、それを精神面で支える「祭祀共同体」精神なのです。「君民共治」とは、天皇陛下の権威の下で国民が権力を行使するということです。しかし、それだけでは、「君民共治」は成り立たないのです。民たる私たちもまた、君たる天皇と同様の権威を備えた存在であることに気づくことです。現在の我が国の政治のように、天皇が憲法上国民統合の形式的な象徴として存在しているという理解では、「君民共治」を理解することは不可能です。そもそも、「象徴」という憲法用語こそ、グローバリズムの裏返しと言える代物です。天皇は単なる象徴ではありません。日本国家と国民にとって、欠くべからざる存在です。2024年以降日本が生き残れるかは、私たちが天皇陛下を正しく理解し、お守りすることに尽きると言えるのです。

戦前の国語学者である山田孝雄氏は、昭和13年（1938年）に発刊された『肇国の精神』の中で、我が国が「神国」であることを強調されました。その背景には、欧州において戦争の危機が迫っていた事情がありました。前年の昭和12年（1937年）には、『國體の本義』が文部省から発刊されましたが、その背景には日本における思想の混乱がありました。自由主義、民主主義、社会主義、共産主義など西欧の思想が跋扈していたのです。『國體の本義』の神髄を解説した本が『肇国の精神』と言えます。大東亜戦争直前の日本は、思想面での混乱に襲われていたのです。この国難の時にあって、山田孝雄氏は日本の存在理由の軸である「神国観」を取り戻すように国民に呼びかけたのです。

「神国観」とは、日本が神から生まれたということを基とする思想ですが、神を親として生まれた子は当然に神と本質を同じくしていることが軸になります。つまり、日本においては国土・国民・君主の三者がすべて神の子供であるというわけです。天皇陛下が神の直系であられることは、素直に腑に落とすことができるでしょう。しかし、日本列島という国土が神格を持っているとは、どういう意味でしょうか。戦後の学校教育では『古事記』に言う国生みの物語を教えませんが、戦前の教育を受けた方々は日本列島が伊邪那岐・伊邪那美の夫婦神から生まれたことはすぐ腑に落ちるはずです。

従って、日本列島が神の性格を持つ土地であることも、素直に理解されるはずです。また、私たちが神の子供であることも同様に感覚的にわかるはずです。私たちの先祖は、神の子供として神の思いに従って生活してきました。これを惟神の道と言い、日本という国家ができて以来今日まで、私たちは無意識的にせよ、神の道を歩んできたと言えるでしょう。

そう考えますと、私たちが神国に住んでいることが納得できるはずです。この結論に達するまで、200年の歳月がかかりました。ウィーン会議以降の世界の歴史を俯瞰することによって、私たちは本来の姿を発見することができたわけです。本書は、私たちが本来の姿にたどり着くための歴史をたどってきました。読者の方々とともに、ようやくこのゴールにたどり着いたことを、素直に喜びたいと思います。今後、私たちが「神国観」を抱きしめながら、激動の世界を生き延びてゆきたいと心から願います。読者の方々に本書を通じてお会いすることができたことを、日本の神々に感謝します。

ありがとうございました。

令和6年2月吉日

馬渕睦夫

# 主な参考文献

『裏切られた自由』（上下巻 ハーバート・フーバー ジョージ・Ｈ・ナッシュ編 渡辺惣樹訳 草思社 ２０１７年）
『不必要だった二つの大戦』（パトリック・Ｊ・ブキャナン 河内隆弥訳 国書刊行会 ２０１３年）
『指導者とは』（リチャード・ニクソン 徳岡孝夫訳 文藝春秋 ２０１３年）
『孤独な帝国アメリカ』（ズビグニュー・ブレジンスキー 堀内一郎訳 朝日新聞社 ２００５年）
『プロパガンダ［新版］』（エドワード・バーネイズ 中田安彦訳・解説 成甲書房 ２０１０年）
『ユダヤ人 なぜ、摩擦が生まれるのか』（ヒレア・ベロック 渡部昇一監修 中山理訳 祥伝社 ２０１６年）
『名著で読む世界史』（渡部昇一 扶桑社 ２０１７年）
『日本の敵 グローバリズムの正体』（渡部昇一・馬渕睦夫 飛鳥新社 ２０１４年）
『民間が所有する中央銀行―主権を奪われた国家アメリカの悲劇』（ユースタス・マリンズ 林伍平訳 秀麗社 １９９５年）
『大東亜戦争への道』（中村粲 展転社 １９９０年）
『ドクター・ハマー』（アーマンド・ハマー 広瀬隆訳 ダイヤモンド社 １９８７年）
『シナ大陸の真相』（Ｋ・カール・カワカミ 福井雄三訳 展転社 ２００１年）
『ルーズベルトの責任』（上下巻 チャールズ・Ａ・ビーアド 開米潤監訳 阿部直哉 丸茂恭子訳 藤原書店 ２０１１年）
『真珠湾の真実』（ロバート・Ｂ・スティネット 妹尾作太男訳 文藝春秋 ２００１年）
『キッシンジャー「最高機密」会話録』（ウィリアム・バー編集 鈴木主税・浅岡政子訳 毎日新聞社 １９９９年）
『私は、スターリンの通訳だった。―第二次世界大戦秘話』（ワレンチン・Ｍ・ベレズホフ 栗山洋児訳 同朋舎出版 １９９５年）
『閉された言語空間―占領軍の検閲と戦後日本』（江藤淳 文藝春秋 １９９４年）
『グロムイコ回想録―ソ連外交秘史』（アンドレイ・グロムイコ 読売新聞社外報部訳 読売新聞社 １９８９年）
『共産中国はアメリカがつくった―Ｇ・マーシャルの背信外交』（ジョゼフ・マッカーシー 副島隆彦監修・解説 本原俊裕訳 成甲書房 ２００５年）
『第二次大戦に勝者なし ウェデマイヤー回想録』（上下巻 アルバート・Ｃ・ウェデマイヤー 妹尾作太男訳 講談社 １９９７年）
『日露外交秘話』（丹波實 中央公論新社 ２００４年）
『親日派のための弁明』（キム・ワンソプ 荒木和博・荒木信子訳 草思社 ２００２年）
『ブレジンスキーの世界はこう動く―21世紀の地政戦略ゲーム』（Ｚ・ブレジンスキー 山岡洋一訳 日本経済新聞社 １９９７年）
『ブッシュが壊したアメリカ―２００８年民主党大統領誕生でアメリ

カは巻き返す』（峯村利哉訳 徳間書店 ２００７年）

『キッシンジャー激動の時代（1-3巻）』（Ｈ・Ａ・キッシンジャー 読売新聞・調査研究本部訳 小学館 １９８２年）

『波乱の時代』（上下巻 アラン・グリーンスパン 山岡洋一・高遠裕子訳 日本経済新聞出版社 ２００７年）

『詳説世界史Ｂ 改訂版［世Ｂ３１０］文部科学省検定済教科書【81山川／世Ｂ３１０】』（山川出版社 ２０１７年）

『山川詳説世界史図録 第2版 世Ｂ３１０準拠』（木村靖二・岸本美緒・小松久男監修 山川出版社 ２０１７年）

『世界史用語集 改訂版』（全国歴史教育研究協議会 山川出版社 ２０１８年）

『国難の正体―日本が生き残るための「世界史」』（馬渕睦夫 総和社 ２０１２年）

『アメリカの社会主義者が日米戦争を仕組んだ―「日米近現代史」から戦争と革命の20世紀を総括する』（馬渕睦夫 ＫＫベストセラーズ ２０１５年）

『「反日中韓」を操るのは、じつは同盟国・アメリカだった！』（馬渕睦夫 ワック ２０１４年）

『世界を操る支配者の正体』（馬渕睦夫 講談社 ２０１４年）

『世界を操るグローバリズムの洗脳を解く―日本人が知るべき「世界史の真実」』（馬渕睦夫 悟空出版 ２０１５年）

『馬渕睦夫が読み解く２０１９年世界の真実』（馬渕睦夫 ワック ２０１８年）

『知ってはいけない現代史の正体』（馬渕睦夫 ＳＢクリエイティブ ２０１９年）

『馬渕睦夫が読み解く２０２０年世界の真実』（馬渕睦夫 ワック ２０１９年）

『馬渕睦夫が読み解く２０２３年世界の真実』（馬渕睦夫 ワック ２０２２年）

『馬渕睦夫が語りかける腑に落ちる話 ウクライナ戦争の欺瞞 戦後民主主義の正体』（馬渕睦夫 徳間書店 ２０２３年）

『ディープステート 世界を操るのは誰か』（馬渕睦夫 ワック ２０２３年）

『月刊ＷｉＬＬ12月号』地球賢聞録86 馬渕睦夫「ハマスのイスラエル奇襲攻撃 ナショナル・ユダヤとグローバル・ユダヤの対決」（ワック ２０２３年）

『馬渕睦夫が読み解く２０２４年 世界の真実』（馬渕睦夫 ワック ２０２３年）

『真・保守論 國體の神髄とは何か』（馬渕睦夫 徳間書店 ２０２４年）

## 主な参照サイト

ＹｏｕＴｕｂｅ「馬渕睦夫チャネル～日本の道標～」（https://www.youtube.com/@user-cw7ii3th8k）

外務省ウェブサイト（https://www.mofa.go.jp/）

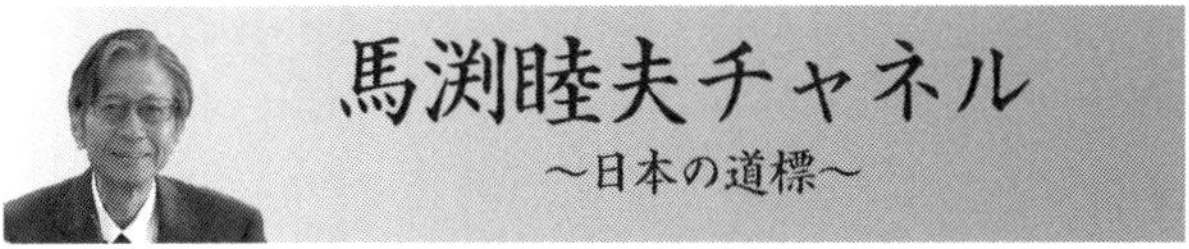


『馬渕睦夫チャネル〜日本の道標〜』
https://www.youtube.com/@user-cw7ii3th8k

当チャネルにおいては「大和心ひとりがたり」のほか、
対談、歴史講座など、
さまざまなプログラムを発信しております。
ぜひご覧いただけますと幸いです。

著者略歴
**馬渕睦夫**（まぶち・むつお）

元駐ウクライナ兼モルドバ大使、元防衛大学校教授、前吉備国際大学客員教授。1946年京都府出身。京都大学法学部3年在学中に外務公務員採用上級試験に合格し、1968年外務省入省。1971年研修先のイギリス・ケンブリッジ大学経済学部卒業。著書に『国難の正体』（総和社 新装版：ビジネス社）、『世界を破壊するものたちの正体（高山正之氏との共著）』（徳間書店）、『ディープステート 世界を操るのは誰か』（ワック）、『日本を蝕む 新・共産主義』（徳間書店）、『道標 日本人として生きる』（ワニブックス）、『ウクライナ紛争 歴史は繰り返す戦争と革命を仕組んだのは誰だ』（ワック）、『謀略と捏造の二〇〇年戦争（渡辺惣樹氏との共著）』（徳間書店）、『馬渕睦夫が読み解く2024年世界の真実』（ワック）など多数。2023年1月よりYouTube番組『馬渕睦夫チャネル ～日本の道標～』を開設し、「大和心ひとりがたり」を配信中。また、2023年2月より、月例講演会「耕雨塾」を開催している。

SB新書 652

**新版《しんぱん》 知《し》ってはいけない現代史《げんだいし》の正体《しょうたい》**

2024年4月15日 初版第1刷発行

著　　者　馬渕睦夫《まぶちむつお》
発 行 者　出井貴完
発 行 所　SBクリエイティブ株式会社
〒105-0001 東京都港区虎ノ門2-2-1
装　　丁　杉山健太郎
DTP 本文デザイン　株式会社 RUHIA
編集協力　尾崎克之
印刷・製本　中央精版印刷株式会社

本書をお読みになったご意見・ご感想を下記URL、
または左記QRコードよりお寄せください。
https://isbn2.sbcr.jp/24613/

落丁本、乱丁本は小社営業部にてお取り替えいたします。定価はカバーに記載されております。
本書の内容に関するご質問等は、小社学芸書籍編集部まで必ず書面にて
ご連絡いただきますようお願いいたします。

ISBN 978-4-8156-2461-3